¡A toda vela!

Cuaderno de actividades
Edición del Profesor

Carmen Herrera

Contributing Authors

Paul Lamontagne
Juan Lizcano

ST. PAUL

Editorial Director: Alejandro Vargas
Product Manager: Charisse Litteken
Production Editor: Bob Dreas
Developmental Editor: Hannah da Veiga

Cover Designer: Leslie Anderson
Composition: Desktop Solutions
Copy Editor: Mercedes Padrino Anderson

ISBN 978-0-82193-717-4

875 Montreal Way
St. Paul, MN 55102
E-mail: educate@emcp.com
Web site: www.emcp.com

Printed in the United States of America

20 19 18 17 16 15 14 13 3 4 5 6 7 8 9 10

Índice

Cuaderno de actividades - Guía del programa de audio

Contenido	CD	Pista	Actividad	Duración
Capítulo 1, Lección A				
Vas a escuchar a una mujer hablar de cuando se pone mala cuando viaja.	1	1	16	1:43
Vas a escuchar una audición sobre la experiencia de un chico con una compañía aérea.	1	2	16	1:13
Vas a escuchar una audición sobre turistas en busca de algo especial.	1	3	16	1:22
Capítulo 1, Lección B				
El dilema de Alfredo	1	4	15	2:22
La familia y el dinero	1	5	16	1:37
Capítulo 2, Lección A				
Jóvenes y sus responsabilidades	1	6	14	7:03
Capítulo 2, Lección B				
La industria de las alfombras	1	7	17	3:29
Capítulo 3, Lección A				
Empanadas argentinas, chicos y grandes las disfrutan en sus reuniones	1	8	18	4:46
Capítulo 3, Lección B				
¿Qué tiene de bueno comer cosas malas?	1	9	19	4:04
Capítulo 4, Lección A				
Carrera de sapos	1	10	19	1:48
Capítulo 4, Lección B				
Shakira, la historia	1	11	19	5:40
Capítulo 5, Lección A				
El monte de las almas (adaptación del cuento de Gustavo Adolfo Bécquer, El monte de las ánimas)	2	1	25	7:10
Capítulo 5, Lección B				
La gitanilla por Miguel de Cervantes	2	2	14	11:25
Capítulo 6, Lección A				
Escuelas buscan ofrecer deportes alternativos a los estudiantes	2	3	18	4:23
Capítulo 6, Lección B				
Colombia buscará la sede de la Copa Mundial	2	4	18	2:27
Capítulo 7, Lección A				
Una vida extra	2	5	17	3:18
Capítulo 7, Lección B				
Sin rastro	2	6	18	8:56
Capítulo 8, Lección A				
Las Bellas Artes	2	7	18	6:39
Capítulo 8, Lección B				
Denuncian indiscriminado saqueo ancestral ciudad maya el Naranjo	2	8	17	3:15

¡Buen viaje! Capítulo 1 Lección A

1 Presente del indicativo 

1. piden; 2. sirven; 3. se despiden; 4. riñe; 5. me duermo; 6. influye; 7. se divierte; 8. advierten, hace; 9. convenzo, nieva; 10. eliges, escojo

2 ¿Pretérito o imperfecto? 

1. d; 2. d; 3. b; 4. a; 5. c; 6. a; 7. d; 8. c

3 La forma correcta 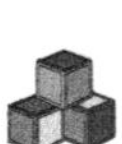

1. aseguro, consigue; 2. repiten; 3. me equivoqué, dije, había; 4. puso, pido, lo, lo; 5. dijo, había, una, permitía; 6. ocurrió, hervía, fue, le, cayó; 7. Cualquiera, podía, Lo, sé, aterrizó, estaba; 8. Sólo, quienes, los, lo, el, el

4 Familia de palabras 

1. arriesgado, el riesgo, me arriesgué; 2. lejano, se está alejando/se aleja, la lejanía; 3. susto, asustadizo, asustó

5 ¿Qué palabra es? 

1. A, con, Los, ya, a, los; 2. Un, al/a la, cuanto; 3. de, del, es; 4. de, que, Los, de; 5. estaba, a, se; 6. de, un, gran, la; 7. varios, lo, lo, a

6 Antes de leer 

Las respuestas pueden variar.

8 ¿Ha comprendido?

1. d; 2. c; 3. d; 4. b; 5. a

9 ¿Dónde va? 

1. B; 2. D; 3. E; 4. frase extra; 5. C; 6. A

10 ¿Qué significa? 

Las respuestas pueden variar.

11 Sinónimos 

1. cómodo; 2. maravillados; 3. alagar; 4. hoyo

12 ¿Ha comprendido?

Posibles respuestas: otro, afincado, diversas, alguna, cómodo, perfecto, muchas, este, gran, polvorientas, silenciosos, central, maravillados, escasos, andino, insólitos

13 Escriba

Las respuestas pueden variar.

14 Se titula...

Las respuestas pueden variar.

15 ¡A conversar! 

Las respuestas pueden variar.

16 Viajeros (CD 1, pistas 1–3)

Audición 1 - Vas a escuchar a una mujer hablar de cuando se pone mala cuando viaja.

A mí siempre me gustaba viajar a cualquier sitio cuando era joven hasta que un día un antiguo novio decidió darme una sorpresa con un grupo de amigos. Alquilaron un velero y nos fuimos a navegar. Lo que al principio parecía una experiencia romántica terminó siendo una auténtica pesadilla. Nada más poner los pies en el barco, el estómago me dio una vuelta. ¡Ay, me mareo nada más con recordarlo! No sabes lo mala que me puse. Estuve vomitando por horas. Y como estábamos en medio del mar, no era fácil volver. Fue el peor día de mi vida. Sinceramente, pensé que me moría. Hace poco mi ex me dijo que tenía por ahí unas fotos de aquel día. No quiero ni verlas. Ellos se siguen riendo pero desde entonces sé que nunca me verás en el mar.

un velero, *a sailboat*
me mareo, *I get dizzy*

Audición 2 - Vas a escuchar una audición sobre la experiencia de un chico con una compañía aérea.

Siempre me pasaba lo mismo. Aunque compraba el boleto con varios meses de antelación, cuando llegaba al aeropuerto nunca sabía si iba a poder montarme en el avión. Esta compañía es un desastre. Siempre venden más boletos de la cuenta. Imagínate mi cara cuando llegué estas Navidades al aeropuerto con las maletas llenas de regalos para toda mi familia y me dicen el día antes de Navidad que no tengo asiento porque había más personas en el vuelo. Me puse a llorar como una Magdalena, ¡pues sí!, lloraba y lloraba sin parar. No obstante, en ese momento una chica muy linda se acercó al verme con tantas lágrimas y comenzamos a hablar. Al final terminamos comiéndonos todos los dulces que habíamos comprado para nuestros parientes y con un dolor increíble de barriga. Pero mereció la pena la indigestión.

de antelación, *in advance*
llorar como una Magdalena, *to cry like a baby*
No obstante, *nevertheless*
barriga, *belly*

Audición 3 - Vas a escuchar una audición sobre turistas en busca de algo especial.
Parece ser que la cifra de turistas que visitan esta región ha aumentado bastante recientemente. Todo se debe a un *blog* que creó un australiano en el que dijo que había escondido un tesoro de $1.000.000. Por lo visto este señor es bastante adinerado y un apasionado de los misterios. Escondió este tesoro en la antigua ciudad y va dando pistas a través de Internet. Gente de todas las edades y países recorren esta región disfrutando de bellísimos paisajes al mismo tiempo que tienen la esperanza de ser ellos los afortunados. Parece ser que una muchedumbre se acercó a un poblado en el que se cree que se encuentra este tesoro. Ahora las calles están masificadas y ves a los sencillos habitantes de allí con la frente arrugada examinando con la mirada a los ruidosos turistas.

la cifra, *the number*
ha aumentado, *has increased*
adinerado, *rich, wealthy*
pistas, *clues*
los afortunados, *the fortunate ones*
una muchedumbre, *a crowd, a multitude.*

1. b; 2. c; 3. b

17 ¡A conversar! 

Las respuestas pueden variar.

18 Presentemos en público 

Las respuestas pueden variar.

19 Amplíe su vocabulario 

1. d; 2. b; 3. b; 4. a; 5. d; 6. c; 7. b; 8. a

20 ¿Cuál es la palabra? 

1. la belleza; 2. época; 3. La cifra; 4. un paisaje; 5. rodeada; 6. pobladas; 7. el riesgo; 8. susto

21 ¿Qué palabra es? 

1. nocturno; 2. estrecho; 3. muchedumbre; 4. con retraso; 5. estar al tanto de; 6. tener mala cara; 7. asegurar; 8. sabiduría

22 Crucigrama 

Las respuestas pueden variar.

23 Verbos con preposición 

1. d; 2. a; 3. c; 4. a; 5. c

24 Verbos con preposición 

1. quedaron en; 2. condujo por; 3. llegar a; 4. se sentó en; 5. quedó con

¡Buen viaje! Capítulo 1 Lección B

1 Pretérito 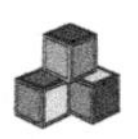

1. dio; 2. me ahogué; 3. sonrió; 4. cumplieron; 5. se escurrió, se cayó, Se rompió, vino; 6. dijo, hirió; 7. se ahogó, castigaron; 8. oí, oyó; 9. cupo, dejé; 10. trajeron, tuve, tocaron

2 "Tapitas" gramaticales 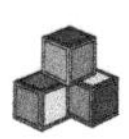

1. ninguno; 2. sin; 3. ningún; 4. sin; 5. sin; 6. nadie; 7. Jamás; 8. sin; 9. nada; 10. ninguno; 11. Sin; 12. ni siquiera; 13. Ni; 14. ni; 15. algo; 16. sin; 17. nada; 18. ni siquiera; 19. ninguno; 20. nadie; 21. Ni; 22. ni; 23. tampoco; 24. nadie; 25. De ninguna manera

3 ¿Pretérito o imperfecto? 

1. despidió, se enteró, faltaba; 2. hacía, decía, asentía, decía, alguna, caerle; 3. Los/Las, tradujeron, lo, dijo, me equivoqué, pude, ver, mis; 4. se dio cuenta, era, lo, relucía, huyó, quienes, la, habían, era, convertirse; 5. dijo, se fue, tan, llegó; 6. lo advertía, ningún, la, la; 7. Esa/Esta, fueron, algún, las, se hicieron, un; 8. Las, eran, iba, iba, otra, se murió, el, otra, falleció

4 Familia de palabras 

1. impulsiva, impulso, impulsó; 2. decepcionó, decepcionantes, decepción; 3. cruzar, el cruce

5 ¿Qué palabra es? 

1. visitemos/conozcamos, donde, por/al, de; 2. de, al, un, eso, el, con; 3. de, Por, no, nadie, Qué; 4. A, X, nuestras; 5. voy, a, por, eso, de; 6. da, X, de, X; 7. Al, de, en, en, de

6 Antes de leer 

Las respuestas pueden variar.

8 ¿Ha comprendido?

1. c; 2. c; 3. b; 4. *Las respuestas pueden variar; Ejemplo: Han encontrado algo de gran valor.*

9 ¿Dónde va? 

1. D; 2. B; 3. E; 4. A; 5. extra; 6. C

10 ¿Qué significa? 

Las respuestas pueden variar.

11 Sinónimos 

1. por todos los medios; 2. rodea; 3. cultos; 4. gratuitos

12 ¿Ha comprendido?

1. *Posibles respuestas*: preferencias, inmigración, pasivos, preocupados, cultos, activos (*usados como sustantivos*), medios, cultura, perfiles, inmigrantes, comunicación, entorno, información, consumidores, conocimientos, filón de oro
2. *Posibles respuestas*: prefieren... antes que, estos son, en relación a, ni siquiera, ya que, por ello, por otro lado, por un lado, de ahí que, tanto... como, además, por lo que, no sólo... sino también
3. *Las respuestas pueden variar.*
4. Lo que está pasando hoy día en la política
5. *Las respuestas pueden variar.*

13 Escriba 

Las respuestas pueden variar.

14 Se titula...

Las respuestas pueden variar.

15 El dilema de Alfredo (CD 1, pista 4)

Hola. Me llamo Alfredo Vera Arroyo. Hace diez años que vivo en este país, al que le estoy muy agradecido por la oportunidad que me dio. Me he superado mucho en muchos aspectos. Vine desde mi tierra, con un puñado de plata que ahorró mi familia para poder sobrevivir humildemente un par de semanas hasta que consiguiera un empleo y un modesto alojamiento. Desde entonces he hecho todo tipo de trabajos, con todo tipo de personas, para poder ahorrar plata y mandársela a los míos. Ahora trabajo con Felipe, un hombre dominicano que también vino aquí como yo. Hace poco montó una empresa de pintura, y con otros dos nos dedicamos a pintar todo tipo de cosas. Vivo en una habitación alquilada por una viejecita quien me pone todas las noches un plato caliente. ¡Gracias a Dios no me falta ni el trabajo ni la comida! Pero echo muchísimo de menos a mi familia. A pesar de ser un país que me ha dado muchas oportunidades todavía me siento como extranjero. ¿Dónde me he metido? Siento que estoy en un callejón sin salida. Necesito ayuda cuanto antes; por favor, ayúdeme ya que no me atrevo a decirle nada de esto a mi Lupita. Desde que me fui no he visto a ninguno de los míos. Dejé atrás a mi esposa, mi hijo de dos años, y mis gemelas de un par de meses. Todos viven con mis suegros y cuñados quienes también dependen de mí para poder llegar a final de mes. A veces me planteo el volver, comprar un pequeño terreno y vivir con poco pero junto a mi familia, aunque mis cuñados me insisten en que es una locura ya que toda la familia depende de la plata que le mando cada mes. Me siento atrapado en un país lleno de oportunidades pero en el que la soledad es mi única compañera. Sólo me consuelo cuando charlo con mi mujer y tres hijos una vez al mes y les digo cuánto les echo de menos mientras que admiro emocionado unas fotos antiguas arrugadas que siempre llevo en mi cartera.

he superado, *have overcome*
un puñado de plata, *a handful of money*
los míos, *my folks*
echo muchísimo de menos, *I miss*
no me atrevo, *I don't dare*
gemelas, *twins*
me planteo, *I propose to myself*
me consuelo, *I console myself*
arrugadas, *crumpled*

1. d; 2. d; 3. c; 4. a

16 La familia y el dinero (CD 1, pista 5)

Luis: ¡Menuda situación la del pobre Alfredo! ¿Verdad?

María: Pues sí, ya lo creo. Comprendo que se marchara de allá para ayudar a su familia, pero ya es hora de que vuelva, ¿no? Después de tanto tiempo...

Eduardo: ¿Cómo? Pero no puede volver. Esto no es posible por ahora, ya que muchos miembros de la familia dependen de la plata que les manda cada mes. Sus suegros y cuñados, además de su esposa e hijos.

María: Pero bueno...entonces eso significa que según lo que nos estás diciendo ya no puede volver. Como dice el pobre hombre, está en un callejón sin salida.

Luis: Según parece, quizás algunos de sus parientes se han acostumbrado demasiado a una vida en la que no necesitan trabajar, pues Alfredo lo hace por todos ellos. Creo que se están aprovechando.

Eduardo: No es que no quieran, es que no pueden. Son gente muy pobre que vive en una casa pequeña donde comparten todo lo que tienen. Es un reto para ellos conseguir hacer tres comidas diarias. No quieren el dinero para antojos, es una necesidad, están en una situación desesperada.

María: Creo que Alfredo debería tomar un empleo nocturno, ahorrar un poco de dinero e ir a ver a sus familiares para poder así tomar una decisión al hablar con ellos cara a cara.

Luis: Estoy de acuerdo contigo.

Eduardo: Pero si ni siquiera tiene para final de mes...

Menuda, *awful (figuratively)*
se marchara, *he would leave*
se han acostumbrado, *they have grown used to*
aprovechando, *taking advantage*
reto, *challenge*
diarias, *daily*
antojos, *whims*
ni siquiera, *not even*

1. b; 2. b; 3. d; 4. c

17 ¡A conversar! 

Las respuestas pueden variar.

18 ¡A conversar! 

Las respuestas pueden variar.

19 Escriba 

Las respuestas pueden variar.

20 Buscando errores

2 acentos: despedirse de él, la mamá y él se miran
3 tiempos verbales: todos ellos comparten, le acompañará Antonio, no hay ni agua
4 preposiciones: vivo con, para trabajar, llevar alimento al hogar, les echo mucho de menos
4 concordancias: Queridos mamá y papá, Algún día, quizás no haya, Escríbanme
2 pronombres: se va despacio, les quiero mucho

21 Escriba

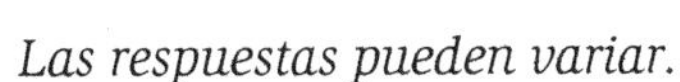

Las respuestas pueden variar.

22 Presentemos en público 

Las respuestas pueden variar.

23 Amplíe su vocabulario 

1. b; 2. c; 3. a; 4. b; 5. d; 6. b; 7. d; 8. a

24 ¿Cuál es la palabra? 

1. los ingresos; 2. tenían claro; 3. propia; 4. aburrían; 5. en el fondo; 6. Sin embargo; 7. empleo; 8. se marchó

25 ¿Qué palabra es? 

1. alcanzar; 2. madrugar; 3. te hace gracia; 4. extranjero; 5. influyente; 6. por desgracia; 7. menos mal; 8. de otra forma

26 Crucigrama 

Las respuestas pueden variar.

27 Verbos con preposición 

1. b; 2. d; 3. a; 4. c; 5. b

28 Verbos con preposición 

atreverse	a	marcharse	de	tardar	en
despedirse	de	soñar	con	tratar	de

1. tardaban en; 2. se marcharon de; 3. se atrevía a; 4. trataron de; 5. se despidió de

¡Gente joven! Capítulo 2 Lección A

1 ¿Ser, estar o haber? 

1. estás; 2. estoy; 3. estoy; 4. ser; 5. estoy; 6. Hay; 7. estado; 8. Estás; 9. estás; 10. hay; 11. estoy; 12. Estoy; 13. sea; 14. es; 15. está; 16. es; 17. es; 18. hay; 19. es; 20. es; 21. está; 22. Estás; 23. estés; 24. hay; 25. eres; 26. hay; 27. está; 28. es; 29. está; 30. hay; 31. ser; 32. haya; 33. sea

2 Verbos reflexivos 

1. se despidió; 2. se marchó; 3. dormirse o acostarse; 4. Se despertó; 5. acostarse o dormirse; 6. se escondió; 7. se desmayó; 8. sujetarse; 9. caerse; 10. se quedó; 11. ponerse; 12. se fijó; 13. se parecían; 14. se atrevía; 15. se enfadó; 16. se acercó; 17. se empeñaba; 18. burlarse; 19. reírse; 20. se despidió

3 ¿Por o para? 

1. por; 2. para; 3. para; 4. por; 5. para; 6. para; 7. para; 8. Por; 9. por; 10. por; 11. por; 12. por; 13. para; 14. Por; 15. Por; 16. por; 17. Para; 18. para; 19. para; 20. por; 21. para; 22. por; 23. por; 24. para; 25. por; 26. para; 27. por; 28. para; 29. por; 30. Por; 31. para; 32. Por; 33. por; 34. por; 35. para; 36. por; 37. por; 38. Por

4 Familia de palabras 

1. agradecimiento, las gracias, agradecida; 2. aislaban, aislado/a, el aislamiento; 3. tranquilizó, tranquilizante, tranquila

5 "Tapitas" gramaticales 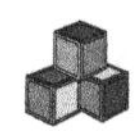

1. juega, una, lo; 2. dejen, cierta, decidir, quieren, parezca; 3. Quiénes, es, esta, la, lo (cambiarlo), lo; 4. suceden, lo, mueren; 5. parezca, la, reímos, está, lo; 6. quienes, confiar, vayan; 7. era, llegó, Fue, le, el; 8. nuestras, asusten, rodean, son, son, quienes

6 ¿Qué palabra es? 

1. de, sin, tan/muy, lo, que, de, por, lo, lo; 2. un, pero, con, el, Hace, me, quien, a, la; 3. en, y, que, Me, X; 4. le, en, lo, con, se, un, de, con; 5. se, con, mi, me, de, de; 6. al, que, de, con, una, por, es

7 Antes de leer 

Las respuestas pueden variar.

9 ¿Ha comprendido?

1. c; 2. b; 3. a; 4. a; 5. d

10 ¿Dónde va? 

1. E; 2. B; 3. frase extra; 4. A; 5. C; 6. D

11 ¿Qué significa? 

Las respuestas pueden variar.

12 Escriba

Las respuestas pueden variar.

13 Se titula...

Las respuestas pueden variar.

14 Jóvenes y sus responsabilidades (CD 1, pista 6)

Soy Laura. Tengo 16 años.

Trabajar duro y ganar dinero para costearse los gastos propios son valores firmemente arraigados en Estados Unidos. Muchos niños se empiezan a familiarizar con ello con pequeños trabajos que hacen en el hogar familiar, por los que reciben una modesta cantidad de dinero semanal o mensual. Más tarde, suelen emplearse por unas horas a la salida del colegio o los fines de semana, para ganar dinero de bolsillo, ahorrar para contribuir a sufragar sus estudios y adquirir experiencia práctica y un sentido de independencia. Las oportunidades son numerosas y variadas, desde repartir periódicos a domicilio o cuidar a los niños de los vecinos, a poner en bolsas las compras de los clientes en tiendas de comestibles o limpiar mesas en restaurantes. De hecho, muchos jóvenes, independientemente de la situación económica de su familia, reciben su primera paga incluso antes de entrar en la escuela secundaria. Pero para proteger a estos muchachos de los abusos de patronos poco escrupulosos, la legislación estadounidense ha establecido una edad mínima de 14 años para la mayoría de los trabajos no agrícolas y ha limitado a 18 el número de horas que los menores de 16 años pueden trabajar en una semana escolar. Aunque ya no tengo tanto tiempo como antes, estoy contenta con mi trabajo. Las personas con las que trabajo, incluido mi jefe, son amables, serviciales y me divierte hablar con ellas; además, como en su mayoría son adultos, hablar con ellas me da una perspectiva única de la vida en el "mundo real". Finalmente, también estoy ganando mi propio dinero, por lo que ya no tengo que pedirles prestado a mis padres cada vez que quiero comprar algo. Tengo un grado de independencia que no tenía antes. Recibir un cheque con regularidad me ha enseñado a administrar prudentemente mi dinero, decidir cuánto ahorrar y cuánto gastar, y a apreciar cuánto cuestan algunas de las cosas que siempre había tomado por descontado; por ejemplo, no tenía idea de lo caros que son los zapatos hasta que me compré un par con mi propio dinero. Además, mi trabajo me ha permitido perfeccionar mis dotes de comunicación; he aprendido a expresarme como profesional, a comprender qué es lo que buscan los clientes sólo con observarlos, e incluso a calmar a un pequeño que grita desesperadamente. Aunque me deja menos tiempo libre, no cambiaría mi trabajo ni lo que me ha enseñado por nada del mundo.

costearse, *to pay for oneself*
arraigados, *deeply rooted*
sufragar, *to pay, to defray*
adquirir, *to acquire, to gather*
comestibles, *groceries*
escrupulosos, *conscientious*
pedirles prestado, *to borrow (from them)*
dotes, *abilities*

Soy Danielle. Tengo 17 años.
Aunque de momento no tengo ningún tipo de trabajo, hago muchas cosas después de salir del colegio. Una de las cosas que hago al terminar las clases es ocuparme de todas mis tareas, porque yo crío conejos y cerdos para exhibirlos en el club local 4-H al que pertenezco. 4-H es una organización nacional que ayuda a los jóvenes de zonas rurales a desarrollar determinadas aptitudes. Es un lugar donde se puede conocer a mucha gente nueva, hacer muchos amigos y pasarlo estupendamente en el verano. También ayudo a cuidar a mi hermano pequeño durante el verano y después del colegio. Me gusta estar con mis amigos todo el tiempo que puedo. También trabajo en casa de mis abuelos, donde siego el césped en el jardín y arranco las malas hierbas. Me gusta trabajar, es muy divertido y me hace sentirme responsable. La lección práctica que he aprendido es que uno tiene que trabajar por lo que quiere.

crío, *I raise*	arranco, *I pull out*
siego el césped, *I mow the grass*	

Soy Tirza. Tengo 15 años.
El colegio, los estudios, las actividades extraescolares, la religión, las películas y... el trabajo, tantas cosas que hacer y tan poco tiempo. Pero el trabajo puede tener ventajas e inconvenientes. Algunas de las ventajas son que tienes más dinero para gastar y la experiencia que da un ambiente de trabajo. Otra ventaja es que un trabajo te hace más independiente, porque puedes satisfacer algunas de tus propias necesidades. También puedes decidir ahorrar para costearte estudios universitarios o para otros planes futuros. Algunos adolescentes también contribuyen a sufragar los gastos familiares. Un inconveniente es que los adolescentes pueden no darse cuenta del significado del trabajo, porque casi ninguno de ellos tiene que pagar recibos, sino que la gran mayoría gasta su dinero en lujos caros. Por eso, pueden creer que el dinero sólo es para gastarlo y puede que no aprendan a ahorrar. Los estudiantes que trabajan también pueden dedicarse menos a los estudios por falta de tiempo o por impedírselo otras actividades, como las relaciones sociales con la familia o los amigos.

ambiente, *environment*	impedírselo, *not being allowed to (by something or somebody)*
darse cuenta, *realize*	

Soy Kristen. Tengo 17 años.
Yo empecé a trabajar en Hecht's (una cadena de comercios establecida en varios estados de la zona este de Estados Unidos) el verano pasado, a causa de mis estudios en el colegio. Estoy en una clase llamada Comercio III, uno de cuyos requisitos es que los alumnos obtengan un empleo. Tenemos que trabajar un total de 396 horas, lo que nos da un segundo crédito escolar. Este requisito me hizo empezar a trabajar en Hecht's el 12 del pasado mes de julio, en la sección de ropa de jóvenes, lo que es difícil para mí porque procuro no gastar todo mi dinero en ropa, pero es divertido y he aprendido mucho. Yo soy una persona relativamente tímida, pero como estoy en la caja, tengo que hablar con los clientes, mantener una conversación con ellos y controlar mis emociones.

procuro, *I strive*	caja, *cash register*

1. b; 2. a; 3. a; 4. c; 5. a; 6. b

15 ¡A conversar!

Las respuestas pueden variar.

16 Buscando errores 

3 acentos: propósito, confusión, únicamente
3 tiempos verbales: publicó, han cumplido, ahora intentan ayudar
3 preposiciones: denigrante para, seran conscientes de que, apoyara en esta lucha
4 concordancia: la mayoría, la sociedad, las sufren, la estipulada
2 pronombres: quejarme, Se han creado

17 ¡A presentar! 

Las respuestas pueden variar.

18 Amplíe su vocabulario 

1. c; 2. d; 3. c; 4. b; 5. c; 6. c; 7. a; 8. a

19 ¿Cuál es la palabra? 

1. Por más que; 2. faltas de ortografía; 3. Por más que; 4. sondeo; 5. reponer fuerzas; 6. Al fin y al cabo; 7. de primeras; 8. por si acaso

20 ¿Qué palabra es? 

1. no estar para bromas; 2. por supuesto; 3. en serio; 4. ajustado; 5. de pronto; 6. para ser sincero; 7. de primeras

21 Crucigrama

Las respuestas pueden variar.

22 Verbos con preposición 

1. c; 2. d; 3. a; 4. c; 5. a

23 Verbos con preposición 

atreverse ___a___	empeñarse ___en___	quejarse ___de___
convertirse ___en___	esforzarse ___en___	reírse ___de___

1. se rían de; 2. empeñado en; 3. te esfuerzas en; 4. se convirtió en; 5. se atrevía a

¡Gente joven! Capítulo 2 Lección B

1 Futuro 

1. saldremos; 2. nos quedaremos; 3. compartirán; 4. Habrá; 5. mantendrán; 6. traigan; 7. cabrán; 8. Habrá; 9. podrán; 10. competirán; 11. compondrán; 12. harán; 13. dirá; 14. tendrán; 15. tendrán; 16. querrán; 17. querrán; 18. será; 19. Podremos; 20. esperaremos

2 ¿Presente perfecto, pluscuamperfecto o futuro perfecto?  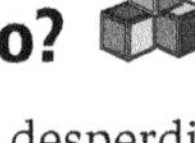

1. has leído; 2. he visto; 3. ha hecho; 4. había trabajado; 5. Habrá pasado; 6. han desperdiciado; 7. he creído; 8. habré hecho; 9. habíamos asistido; 10. han decidido

3 Tiempos verbales

1. b; 2. b; 3. c; 4. a; 5. c; 6. d; 7. a; 8. d

4 Participio pasado 

1. Nacidos; 2. localizada; 3. abierta; 4. contratados; 5. cerrada; 6. muerto; 7. satisfechos; 8. mejoradas; 9. perseguidos; 10. excluidos; 11. enfrentados; 12. descrita; 13. oídas; 14. resueltos

5 Familia de palabras 

1. han encarcelado, la cárcel, encarcelados; 2. luchadoras, la lucha, luchar; 3. secuestrado, el secuestro, secuestrar

6 "Tapitas" gramaticales 

1. comportarse, hacer, ningún; 2. organizada, fue, motivados, hubo, alguno/algún; 3. El/La, se realizará, incluirá, considerarse, un; 4. difundir, todas, posibles, sea, se beneficien, esta; 5. dijeron, tendrá, un, está; 6. Un, atendió, hubo, cualquier, cancelándose; 7. ofreció, empezaran, ningún; 8. agregó, brindaba, colaborar, las, los, les (ofrecerles)

7 ¿Qué palabra es? 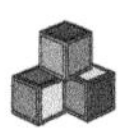

1. Qué, que, de, por, de; 2. de, de, en, gran, a, para; 3. de, a, que, de, de, que; 4. has, hay, es, por, de, más; 5. con, de, a, para, a, lo, X; 6. por, el, para, se, a, de, por, más

8 Antes de leer 

Las respuestas pueden variar.

10 ¿Ha comprendido?

1. c; 2. b; 3. c; 4. a

11 ¿Qué significa? 

Las respuestas pueden variar.

12 Sinónimos 

1. b; 2. d; 3. j; 4. h; 5. e; 6. c; 7. f; 8. i; 9. g; 10. a

13 ¿Ha comprendido?

1. Ideas, determinación y energía; 2. Que son muy jóvenes para recibir información; 3. Aplazar el matrimonio y el embarazo hasta la edad adulta y prevenir la enfermedad del VIH

14 Preposiciones 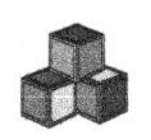

1. en; 2. a; 3. con

15 Escriba 

Las respuestas pueden variar.

16 Se titula...

Las respuestas pueden variar.

17 La industria de las alfombras (CD 1, pista 7)

La industria de las alfombras está entre las que emplean un mayor número de niños, que trabajan en las condiciones más horribles hasta 20 horas al día, cada día, en la misma habitación en la que viven. Según el Departamento de Trabajo de los Estados Unidos, en 1994 esta industria daba trabajo a 150.000 niños en Nepal, a un millón en Pakistán y a 400.000 en la India. Los niños trabajan hacinados en habitaciones pobremente iluminadas. Frecuentemente desarrollan deformidades de la columna debido a que están largos ratos agachados, debilitación de la vista e irregularidades respiratorias debidas a la exposición crónica al polvo y a la pelusa de la lana en habitaciones insuficientemente ventiladas. Muchos niños no reciben ningún salario en absoluto. El proyecto Rugmark (señal de alfombra) tiene como objetivo poner una cara sonriente como símbolo en cada alfombra o moqueta libre de trabajo infantil.

Vinod Balashraya, de diez años, del pueblo Dariyen, en el estado de la India de Uttar Pradesh, ahora es una persona nueva. Trabajó dos años con un fabricante de alfombras y moquetas. Después de la prematura muerte de su padre, su madre le llevó a trabajar a un telar. Vinod recuerda aquellos días horribles con profundo dolor. "Solía trabajar de 12 a 14 horas al día en el telar. En un año no me pagaron ni un penique. Una semana después de que empecé me colgaron boca abajo por una falta insignificante. Siempre que me hacía heridas al usar un cuchillo afilado para girar los nudos de la alfombra, me negaban cuidados médicos". Se liberó de las garras del dueño del telar únicamente cuando los inspectores del Rugmark le localizaron durante una inspección in situ y le dijeron al fabricante que o bien liberaba a Vinod y otros niños tejedores o le cerraban el telar.
"Quiero olvidar aquellos días", sigue diciendo Balashraya, "El centro de acogida y rehabilitación para niños de Rugmark ha alterado mi vida".

"Durante las vacaciones de Diwali, cuando fui a mi pueblo esta vez, mi madre estaba contenta de verme. Ella hacía hincapié en que tenía un aspecto cambiado y lleno de energía. Mi madre me dice que me concentre en mis estudios y lo considere como una misión".

En las zonas de fabricación de alfombras tradicionales en Uttar Pradesh uno se encuentra con situaciones similares una y otra vez. "Tenemos por lo menos diez alumnos como Vinod inscritos en el centro de acogida —dice Ramahadni Yadar, un profesor de Balashraya—. La mayoría de ellos han desarrollado habilidades de lectura y de escritura. Tienen una especie de urgencia de hacerse económicamente independientes". Cuando vuelven a sus pueblos algunos de ellos intentan instruir a sus "hermanos" en la unión y en la lucha por sus derechos y a no caer en la trampa de los magnates de la industria de la alfombra o de sus ganchos. ¿Quién sabe mejor que ellos sobre la esclavitud y su impacto? Y ¿quién sino ellos puede luchar contra la subyugación con tal tenacidad y transparente honestidad?

hacinados, *piled up*	penique, *penny*
columna, *spinal column*	garras, *claws*
agachados, *bent over*	in situ, *on-the-spot*
pelusa, *fuzz*	hacía hincapié, *emphasized*
moqueta, *carpeting cloth*	subyugación, *subjugation*
telar, *weaving shop*	tenacidad, *tenaciousness*

1. a; 2. a; 3. c; 4. c; 5. b; 6. a

18 ¡A presentar! 

Las respuestas pueden variar.

19 Buscando errores 

3 acentos: así, esto, además
3 tiempos verbales: ha llegado, estemos, necesitan trabajo
3 preposiciones : ponernos en contacto, para ayudar a sus familias, pusiera en contacto
2 concordancias: estamos completamente seguros, una educación

20 Escriba 

Las respuestas pueden variar.

21 ¡A conversar! 

Las respuestas pueden variar.

22 Presentemos en público 

Las respuestas pueden variar.

23 Amplíe su vocabulario 

1. un premio; 2. lograrán; 3. cerebro; 4. papel; 5. el conflicto armado; 6. yacía; 7. disparado; 8. compartida

24 ¿Cuál es la palabra? 

1. esfuerzo; 2. la multitud; 3. un gesto; 4. había superado; 5. ha alcanzado/alcanzó; 6. impedir; 7. la esperanza; 8. infancia

25 ¿Qué palabra es? 

1. sueldo; 2. ejército; 3. multitud; 4. No hay derecho; 5. enterrar; 6. facilitar; 7. nacer; 8. otorgar

26 Crucigrama 

Las respuestas pueden variar.

27 Verbos con preposición 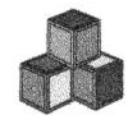

1. a; 2. a; 3. d; 4. a; 5. b

28 Verbos con preposición

aprovecharse de	influir en
arriesgarse a	interesarse por
contar con	tratar de

1. aprovecharse de; 2. han influido en; 3. cuenta con; 4. has tratado de; 5. nos arriesgamos a

¡Que aproveche! Capítulo 3 Lección A

1 Subjuntivo 

1. consiga; 2. me convierta; 3. ponga; 4. camine; 5. Apueste; 6. olvide; 7. termine; 8. rechace; 9. piensen; 10. excluya; 11. satisfaga

2 ¿Subjuntivo, indicativo o infinitivo? 

1. se presente/acuda; 2. está; 3. traiga; 4. consta; 5. sabe; 6. cocinar; 7. exijamos; 8. apruebe/pase; 9. pase; 10 rogamos; 11. aprobar; 12. acuda/se presente/asista; 13. asistir; 14. pedimos; 15. avise; 16. traer; 17. trabaje; 18. disponer; 19. finalizar; 20. haga; 21. tenga; 22. acompaña

3 Los mandatos 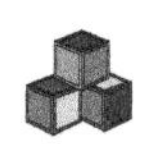

1. venga; 2. Empiece; 3. Mezcle; 4. Ponga; 5. déjelo; 6. Encienda; 7. eche; 8. corte; 9. Corte; 10. menee; 11. Eche; 12. dele; 13. se duerma; 14. Cállese; 15. mueva; 16. sazónela; 17. deme; 18. Ponga; 19. decórelo; 20. limpie; 21. riegue

4 Participio pasado 

1. levantar	levantado	9. resolver	resuelto
2. leer	leído	10. cubrir	cubierto
3. decir	dicho	11. distribuir	distribuido
4. poner	puesto	12. dormir	dormido
5. volver	vuelto	13. morir	muerto
6. recoger	recogido	14. romper	roto
7. abrir	abierto	15. escribir	escrito
8. hacer	hecho	16. mojar	mojado

5 La voz pasiva 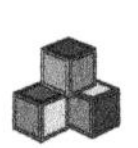

1. fue hecha; 2. fui inspirada; 3. son planeadas; 4. fui contratada; 5. fue arruinada; 6. fueron puestas; 7. fueron escritos; 8. fue hecho; 9. fue hecha; 10. fueran llevados; 11. fueron mojados; 12. fuera suspendida; 13. fueron cantadas; 14. fue ingresada; 15. soy contratada; 16. es organizada

6 Familia de palabras 

1. se llene, llena, lleno; 2. congeladas, El congelador, congele; 3. un sabor, sabrosos, saboréala

7 ¿Cuál es la palabra? 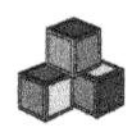

1. localizado, acertada, haya, sea, copiosa; 2. corriendo, finja; 3. he, ha, mucho, esté, cualquier, pongan, sea, es, haya, tanta, traídos; 4. disfruto, copiosa, un, fui, colocaron, era, preferidas, muerto/a; 5. hables/hablen, sirvan, satisfecho/a, dispuesto/a, tanto, provengo, gustan

8 ¿Qué palabra es? 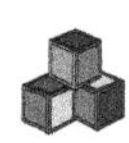

1. ni, por, en, nos, para, un, por; 2. nos, el, ya, de, para, de, de; 3. de, de, por, está, de, que, de, en; 4. de, más, del, está, a; 5. En, de, al, para, mala, En

9 Antes de leer

Las respuestas pueden variar.

11 ¿Ha comprendido?

1. a; 2. d; 3. a; 4. b

12 ¿Qué significa? 

Las respuestas pueden variar.

13 Definiciones 

1. c; 2. d; 3. a; 4. b

14 ¿Ha comprendido?

Las respuestas pueden variar.

15 Preposiciones 

1. con; 2. en; 3. con

16 Escriba 

Las respuestas pueden variar.

17 Se titula...

Las respuestas pueden variar.

18 Empanadas argentinas, chicos y grandes las disfrutas en sus reuniones (CD 1, pista 8)

No son diosas, pero hechizan. Llegaron con los conquistadores españoles, pero eran conocidas antes de Colón. Como toda comida europea su fórmula mutó con recetas autóctonas y costumbrismos. Y de esta alquimia culinaria, nació la empanada argentina, que lleva hasta una aceituna, fruto preferido por los griegos.

"Empanadas sabrosas para las mujeres hermosas", pregonaba por las calles de tierra, cuando Buenos Aires era una aldea, el vendedor de empanadas, montado en su caballo, con una canasta a cuestas, repleta de tan deliciosos bocados. Costumbre galante de vender un producto, en una época sin marketing, ni adelantos tecnológicos. Por lo tanto, podemos afirmar que la empanada forma parte de la vida e historia argentina.

En el nacimiento de nuestra patria, numerosos casamientos se conjuraban a través de las mismas. "Las hizo ella" decía orgullosa la madre, tratando de cautivar al novio, futuro marido de la hija. De esta manera, se fue extendiendo por todo el país, esta deliciosa costumbre. Estuvieron siempre presentes en los festejos y en momentos oscuros de nuestra historia. Como cuando en día de elecciones, determinados políticos, pretendían comprar la intención del pueblo, invitando a la gente en los barrios de las ciudades, a degustar empanadas y vino, en los locales partidarios, antes de votar.

Pero también están presentes en las escuelas estatales, durante los festejos por nuestra independencia, provocando al apetito alegre e incontrolable de alumnos y maestros.

Desde bares y puestos ambulantes les dicen "aquí estamos" a los hinchas de fútbol; cuando finaliza el partido, unos las comen para mitigar penas por la derrota de su equipo y otros para festejar el triunfo del suyo. Los obreros, a la salida de las fábricas, calman un poco el hambre con unas "empanaditas calentitas", antes de llegar a sus casas. Para muchísimos empleados de bancos y oficinas, las empanadas del mediodía son un rito. En los banquetes presidenciales, obligatorias. En las festivas guitarreadas juveniles, infaltables.

A esta altura de los siglos, al gusto por esta comida lo podríamos llamar ancestral. Entonces no podemos dejar de desconocer que todo lo añejo provoca siempre la necesidad de lo nuevo, de los cambios. Y es así como, en Argentina, la empanada varía sus componentes de acuerdo a ciertas regiones del país sin perder la magia de su contenido inicial.

Las empanadas pueden cocinarse fritas o al horno. Su masa es simple: se compone de sal, harina y agua. Es fácil de amasar y estirar. Luego se corta en pedazos redondeados, con un molde de ocho centímetros de diámetro, más o menos. Los ingredientes del relleno se cocinan antes y son: carne de res picada en trozos pequeñitos con cuchillo, huevos duros, ajíes, cebolla de Cambray, comino, pimentón, aceitunas, poca sal y aceite. Una vez cocinado el relleno, se va colocando en el medio de los pedazos de masa redondeados con una cuchara grande. Luego se "repulga", o sea, se cierra la tapita de masa uniendo su borde, como si fuese un rollo apretado. Y ahí tenemos la empanada de carne clásica. En algunas provincias se elabora el relleno como si fuese un guiso caldoso, agregándole arvejas y ají picante. En otras, al guiso se le agregan papas cortadas en trozos, y cuando enfría, se le agregan pasas de uva. También se elaboran empanadas de humita (su base es el maíz tierno o choclo). De pollo y de atún. De verdura y huevo duro. De jamón y queso. De queso con cebolla. De camarones con ajo. De dulce, que puede ser membrillo o batata.

Las deslumbrantes empanadas impregnan nuestra vida. Poetas y cantantes las eternizan en sus letras y en su música, como la "Negra" Mercedes Sosa que, a través del encanto de su voz, inscribe en el invisible cosmos de su canto: "empanadas, vino en jarra, y una guitarra para el amor".

hechizan, *bewitch*
autóctonas, *indigenous*
pregonaba, *announced*
a cuestas, *on his back*
repleta, *full*
se conjuraban, *were pledged upon*
pretendían, *sought to*
locales partidarios, *party headquarters*
ambulantes, *traveling*
hinchas, *fans*
mitigar, *alleviate*
rito, *rite*
añejo, *old*
picada en trozos, *minced*
ajíes, *bell peppers*
guiso caldoso, *stew full of broth*

1. d; 2. c; 3. a; 4. d

19 ¡A conversar! 

Las respuestas pueden variar.

20 ¡A conversar! 

Las respuestas pueden variar.

21 Buscando errores 

3 acentos: ningún, aconsejó, Qué
3 tiempos verbales: afecte, vuelva, me aconseje
3 preposiciones: la revista para, además de eso, en cambio
4 concordancias: sus consejos, apenas hambre, comer sin ella, contestara lo antes
2 pronombres: me devuelva, Me sentiría

22 Escriba 

Las respuestas pueden variar.

23 Presentemos en público 

Las respuestas pueden variar.

24 Amplíe su vocabulario 

1. c; 2. b; 3. a; 4. c; 5. c; 6. d; 7. b; 8. c

25 ¿Cuál es la palabra?

1. me está abriendo el apetito; 2. mordisquear; 3. picar; 4. manjares; 5. está abriendo el apetito; 6. pedazo; 7. moje; 8. pechuga; 9. comensales; 10. engullir; 11. los comensales; 12. alardear; 13. paladar; 14. sosa/amarga; 15. espesa; 16. quemado; 17. amargo/soso; 18. hace un rato; 19. goloso; 20. manos a la obra; 21. cubiertos; 22. mazorcas; 23. velada; 24. acogedor

26 ¿Qué palabra es? 

1. soso; 2. paladar; 3. canela; 4. mezcla; 5. loncha/tajada; 6. propietario; 7. mordisquear; 8. rechazar

27 Crucigrama 

Las respuestas pueden variar.

28 Verbos con preposición 

1. a; 2. b; 3. a; 4. c; 5. c

29 Verbos con preposición 

arriesgarse	a	reírse	de
convertirse	en	tardar	en
marcharse	con	trabajar	con
meterse	en		

1. trabajar con; 2. se convertirá en; 3. haberse metido en/meterse en; 4. Me marcho con/Nos marchamos con; 5. reírse de

¡Que aproveche! Capítulo 3 Lección B

1 Aceitunas españolas 

1. hubiera dicho; 2. hubiera tomado; 3. ha llamado; 4. ha entrado; 5. se han hecho; 6. ha hecho; 7. ha parecido; 8. hemos conocido; 9. he querido; 10. haya hecho; 11. hubieran lanzado; 12. he ofendido; 13. he dicho; 14. ha habido; 15. han empezado; 16. ha observado; 17. ha llevado; 18. haya bajado; 19. haya empezado; 20. ha sido; 21. se hubiera hecho; 22. han propuesto; 23. hemos resuelto; 24. hemos hecho; 25. se han puesto; 26. han propuesto; 27. hubiéramos escuchado; 28. nos hayamos vuelto; 29. haya enviado; 30. ha hecho; 31. se haya parado; 32. ha sabido

2 Repaso gramatical 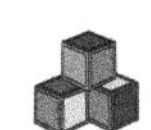

1. contradiría, habría contradicho, haya contradicho, contradijera, hubiera contradicho
2. propondríais, habríais propuesto, hayáis propuesto, propusierais, hubierais propuesto
3. resolverías, habrías resuelto, hayas resuelto, resolvieras, hubieras resuelto
4. satisfacerían, habrían satisfecho, hayan satisfecho, satisficieran, hubieran satisfecho
5. harían, habrían hecho, hayan hecho, hicieran, hubieran hecho
6. oiría, habría oído, haya oído, oyera, hubiera oído
7. me despediría, me habría despedido, me haya despedido, me despidiera, me hubiera despedido
8. traerían, habrían traído, hayan traído, trajeran, hubieran traído
9. tendría, habría tenido, haya tenido, tuviera, hubiera traído
10. estarías, habrías estado, hayas estado, estuvieras, hubieras estado
11. leerían, habrían leído, hayan leído, leyeran, hubieran leído
12. querríais, habríais querido, hayáis querido, quisierais, hubierais querido
13. podría, habría podido, haya podido, pudiera, hubiera podido
14. pondría, habría puesto, haya puesto, pusiera, hubiera puesto
15. preferiríamos, habríamos preferido, hayamos preferido, prefiriéramos, hubiéramos preferido

3 Condicional 

Las respuestas pueden variar.

4 Condicional 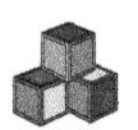

1. estuvieran; 2. mentiría; 3. hubiera dicho; 4. repasaras; 5. tuviéramos; 6. habría dicho; 7. quisierais; 8. hubiera habido; 9. serían; 10. hubiera visto

5 Condicional perfecto y pluscuamperfecto del subjuntivo 

1. Si hubieras podido, habrías comido comida orgánica en cada comida.
2. La cocinera en el hotel habría frito unos huevos rápidamente si los invitados los hubieran pedido.
3. Si hubiéramos tenido más dinero, habríamos ayudado con el problema del hambre mundial.
4. Mis amigos habrían frecuentado más el nuevo café si los dueños lo hubieran abierto hasta la una de la madrugada.
5. Si ellos hubieran ido a Madrid, habrían cenado en un buen restaurante como El Bodegón.
6. Tú habrías quitado los platos de la mesa si tus amigos la hubieran puesto.
7. Si la administración del colegio hubiera querido, a la directora le habría gustado eliminar toda comida basura del menú escolar.
8. Si yo hubiera almorzado en El Mesón, habría escogido una hamburguesa y papas fritas.
9. El cocinero habría cubierto el plato de tomates si la receta lo hubiera descrito así.
10. Si mi abuela hubiera preparado un plato típico de México, habría cocinado un mole poblano.

6 Demostrativos 

1. Se usa *ese* porque *saltamontes* es palabra masculina.
2. Se usa *aquella*, el adjetivo demostrativo.
3. Se usa *Eso, el neutro,* porque se refiere a toda la oración anterior.
4. Se usa *Ésos*, el pronombre demostrativo.
5. Se usa *Esta*, el adjetivo demostrativo.
6. Se usa *ese*, el adjetivo demostrativo, porque *ceviche* es palabra masculina.
7. Se usa *esas*, el adjetivo demostrativo.
8. Se usa *Ese*, el adjetivo demostrativo, porque problema es palabra masculina.
9. Se usa *Aquéllos*, el pronombre demostrativo; se usa *esta*, el adjetivo demostrativo, porque *vez* es palabra femenina.
10. Se usa *estos*, el adjetivo demostrativo.

7 Adjetivos 

1. un gran hombre; 2. la única persona; 3. un grupo musical pobre; 4. la misma actriz; 5. un programa diferente; 6. la mejor película; 7. La antigua agencia; 8. un nuevo actor; 9. una manera buena/una buena manera

8 Preposiciones 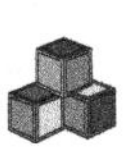

1. al; 2. de; 3. de; 4. a; 5. a; 6. de; 7. en; 8. de; 9. con; 10. con

9 Familia de palabras 

1. olorosos, huele, olor; 2. bebidas, beban, beban; 3. ayuno, ayune, El desayuno

10 Antes de leer 

Las respuestas pueden variar.

12 ¿Ha comprendido?

1. c; 2. a; 3. d; 4. a; 5. b

13 ¿Dónde va? 

1. F; 2. E; 3. A; 4. I; 5. D; 6. H; 7. frase extra; 8. C; 9. B; 10. J; 11. G

14 ¿Qué significa? 

Posibles respuestas:
1. establecerse; 2. sándwiches; 3. pasar, recorrer; 4. luchar, tener que ver, comerciar; 5. desear, querer, esperar; 6. individuales, uno para cada uno; 7. también; 8. ofrecer

15 Sinónimos 

1. estofados; 2. ausencia; 3. neoyorquino; 4. lema; 5. monedas; 6. huésped; 7. asuntos; 8. a la larga; 9. vajilla

16 ¿Ha comprendido?

1. Las nuevas máquinas dispensadoras son rosadas y aceptan monedas como pago por la comida que cuesta desde un dólar hasta tres dólares. Sirven dos menús: un menú del desayuno y otro menú del almuerzo y la cena. Venden pizzas, perros calientes, hamburguesas, "musubi" hawaiano, pollo teriyaki, empanadas de mantequilla de cacahuete y mermelada, helado de té verde y donuts japoneses.
2. En 1912, servían, carne en salsa, estofados, pastel de pollo, pavo asado o relleno y sopas.
3. Algunos hoteles en los Estados Unidos han puesto algunas de estas nuevas máquinas dispensadoras en las tiendas de regalos, y hay máquinas en los aeropuertos de San Francisco y Atlanta en los Zoom Shops donde se venden muchos productos distintos.

17 Escriba 

Las respuestas pueden variar.

18 Se titula...

Las respuestas pueden variar.

19 ¿Qué tiene de bueno comer cosas malas? (CD 1, pista 9)

Algunos productos que antes eran perjudiciales ahora te los recomienda el médico. ¿Saben de verdad qué nos conviene?

Una docena de productos, hasta hace poco "malditos", han pasado a ser los mejores guardianes de nuestra salud. El marisco ya no pone en peligro los niveles de colesterol, y los beneficios del chocolate para el estado de ánimo (tiene más de 160 ingredientes psicoactivos) compensan las calorías que nos aporta. Por ejemplo, durante un tiempo se consideraba malo para la salud el *ketchup*; se sabe ahora que contiene un poderoso antioxidante. Y las temidas especias se han convertido de la noche a la mañana en una medicina natural de propiedades insospechadas hasta hace poco.

¿Por qué es tan complicado averiguar qué constituye una dieta sana? ¿Por qué después de cientos de estudios llevados a cabo durante décadas todavía no tenemos una dieta fiable que nos garantice la buena salud? "Todos sabemos qué es una dieta sana; las recomendaciones dietéticas no han cambiado en cincuenta años", dice Marion Nestle, profesora de la Universidad de Nueva York. "Puedo resumirlas diciendo: come menos, muévete más, consume más frutas y vegetales, y no ingieras mucha comida basura". La dificultad surge cuando se pretende recomendar uno u otro alimento concreto para prevenir una enfermedad determinada.

Si casi todos podríamos identificar qué es una dieta sana, ¿dónde está el problema? Por un lado, en el escaso seguimiento de las recomendaciones. El estudio reciente de hábitos alimenticios de los españoles, elaborado por Hero, demuestra que cuatro de cada diez españoles no consumen la ración mínima de dos piezas de fruta recomendada por la OMS (Organización Mundial de la Salud). Pero hay un segundo problema, y es que, cuando a las personas que participan en investigaciones sobre dieta y enfermedad se les pregunta por su alimentación, suelen decir que llevan una dieta más sana de la que en realidad siguen, lo que invalida en gran parte los resultados. Se calcula que la gente tiende a decir que consume un 25% menos de calorías de las que come. El sociólogo Mario Gaviria lo compara con la medición de las audiencias de televisión. "Si se hiciera con encuestas y no por medio de aparatos en las casas, la audiencia de La 2 (la cadena que es más cultural y muestra principalmente documentales y programas culturales) sería muy superior a la real, y los programas del corazón (o de chismes) serían menos vistos, cuando lo que ocurre es justo al revés". Por otro lado, una enorme fuente de confusiones para poder llegar a la conclusión de si una dieta es o no buena es que las investigaciones se centran a menudo en nutrientes aislados de la comida o alimentos concretos, sin tener en cuenta la dieta y el estilo de vida.

perjudiciales, *harmful*	ración, *serving*
nos conviene, *is good for us*	invalida, *invalidates*
el estado de ánimo, *mood, frame of mind*	consume, *consumes*
aporta, *supplies*	encuestas, *surveys*
temidas, *feared*	La 2, *name by which TVE 2, the UHF second channel of TVE (Televisión española) that broadcasts cultural and public service programming), is commonly known*
de la noche a la mañana, *from one moment to the next, overnight*	al revés, *the other way around*
llevados a cabo, *carried out*	a menudo, *frequently*
fiable, *reliable*	
resumirlas, *summarize them*	
escaso, *scarce*	

1. El marisco, el chocolate, el ketchup y las especias
2. Comer menos, hacer más ejercicio, tomar más frutas y verduras y evitar la comida basura
3. 60% (6 de cada 10)
4. La gente no suele ser honesta sobre su alimentación (suelen decir que consumen menos calorías de lo que hacen de verdad). Por otra parte, se suele investigar sobre alimentos aislados y no se tiene en cuenta el estilo de vida de las personas.

20 ¡A conversar! 

Las respuestas pueden variar.

21 Ensayo 

Las respuestas pueden variar.

22 Escriba 

Las respuestas pueden variar.

23 Escriba 

Las respuestas pueden variar.

24 Amplíe su vocabulario 

1. b; 2. a; 3. b; 4. c; 5. d; 6. a; 7. a; 8. c

25 ¿Cuál es la palabra? 

1. no dar abasto; 2. macas; 3. soja; 4. irreemplazable; 5. pasar; 6. Pese a, impedir; 7. impensado; 8. lácteos

26 ¿Qué palabra es? 

1. estilizar; 2. equilibrio; 3. figura icónica; 4. desde el primer momento; 5. temporada; 6. hambruna; 7. hogar; 8. insípido; 9. escasez; 10. poner freno

27 Crucigrama

Las respuestas pueden variar.

28 Falsos cognados y palabras problemáticas

1. b; 2. b; 3. a; 4. a; 5. b; 6. b; 7. a

Personalidad y personalidades Capítulo 4 Lección A

1 ¿Indicativo o subjuntivo? 

1. b; 2. a; 3. a; 4. b; 5. b; 6. b; 7. a

2 ¿Indicativo o subjuntivo? 

1. quieras; 2. tengamos; 3. funcione; 4. lleva; 5. lleva; 6. gane; 7. esté; 8. estés; 9. lleve; 10. quepa; 11. sabe; 12. sepa

3 Clasificados 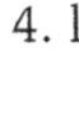

Las respuestas pueden variar.

4 ¿Indicativo o subjuntivo? 

1. fue, pasado; 2. se cae, acción habitual; 3. se acercó, pasado; 4. se trate, acción habitual; aparezca, futuro; 5. consiga, futuro; 6. pregunta, acción habitual; 7. cumpla, futuro; 8. salgas, futuro

5 ¿Indicativo o subjuntivo? 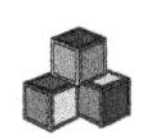

1. llegó; 2. aparezca; 3. pertenezca; 4. estemos; 5. sirven; 6. elijas; 7. conduzca; 8. eres; 9. consiga; 10. recuerde

6 ¿Indicativo o subjuntivo? 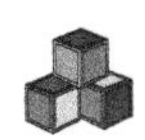

1. aguante, diga, dice, reacciona; 2. soporte, conozco, conozca, parece; 3. conocía; 4. me enteré, pienses, era; 5. sepa, charlemos, asistas; 6. parezca; 7. vaya; 8. busque, guste, exista; 9. conozca, tenga, localice, necesitamos; 10. tiene, se queja

7 ¿Indicativo, subjuntivo o infinitivo? 

1. se estén solucionando/se solucionen; 2. resulta; 3. llegué; 4. son; 5. tiene; 6. es; 7. empiece; 8. me despida; 9. compre; 10. dice; 11. abandone; 12. desee; 13. apetece; 14. toque; 15. necesite; 16. detesta; 17. meterse; 18. es; 19. se obsesione; 20. comprende; 21. diga; 22. madurar; 23. podamos; 24. se convierta; 25. sorprendas; 26. digo; 27. me muero; 28. finja; 29. confíe; 30. me equivoque; 31. apoyas; 32. tome

8 Familia de palabras 

1. aguantan, inaguantable, el aguante; 2. nos despidamos, las despedidas; 3. Admiro, admiradas, admiración

9 Falsos cognados 

1. a; 2. a; 3. a; 4. b; 5. a; 6. b; 7. b; 8. a; 9. a; 10. b

10 Antes de leer 

Las respuestas pueden variar.

12 ¿Ha comprendido?

1. b; 2. b; 3. d; 4. c; 5. a

13 ¿Dónde va?

1. E; 2. A; 3. B; 4. D; 5. frase extra; 6. C

14 ¿Qué significa? 

Las respuestas pueden variar.

15 Sinónimos

1. terapeuta; 2. gesticular; 3. en general; 4. inductivo

16 ¿Ha comprendido?

Posibles respuestas:
1. Lo más importante es estudiar la personalidad y no la enfermedad en sí misma. Las repuestas pueden variar para la segunda parte.
2. El texto da una imagen social de la persona, y la firma refleja la parte interior del individuo.
3. Que podría tratarse de una persona triste o melancólico.

17 Escriba 

Las respuestas pueden variar.

18 Se titula...

Las respuestas pueden variar.

19 La carrera de sapos (CD 1, pista 10)

Era una vez una carrera...de sapos. El objetivo era llegar a lo alto de una gran torre. Había en el lugar una gran multitud. Mucha gente para vibrar y gritar por ellos. Comenzó la competencia. Pero como la multitud no creía que pudieran alcanzar la cima de aquella torre, lo que más se escuchaba era, "¡Qué pena! Esos sapos no lo van a conseguir...no lo van a conseguir". Los sapitos comenzaron a desistir. Pero había uno que persistía y continuaba subiendo en busca de la cima. La multitud continuaba gritando, "¡Qué pena! Ustedes no lo van a conseguir". Y los sapitos estaban dándose por vencidos, salvo aquel sapito que seguía y seguía tranquilo, y ahora cada vez más con más fuerza. Ya llegando al final de la competición todos desistieron, menos ese sapito que curiosamente, en contra de todos, seguía. Llegó a la cima con todo su esfuerzo. Los otros querían saber qué le había pasado. Un sapito le fue a preguntar cómo había conseguido concluir la prueba. Y descubrieron que... ¡era sordo! ¡No permitas que personas con pésimos hábitos de ser negativos derrumben las mejores y más sabias esperanzas de tu corazón! ¡Recuerda siempre el poder que tienen las palabras que escuchas! Moraleja: Sé siempre sordo cuando alguien te diga que no puedes realizar algún sueño.

sapos, *toads*
desistir, *to desist, to give up*
persistía, *persevered*
cima, *the top, the summit*
dándose por vencidos, *admitting defeat giving up*
pésimos, *very bad, appalling*
derrumben, *demolish*
Moraleja, *moral, lesson (from a fable, story, etc).*

1. b; 2. c; 3. b; 4. a

20 ¡A conversar!

Las respuestas pueden variar.

21 Escriba

Las respuestas pueden variar.

22 Presentemos en público

Las respuestas pueden variar.

23 Amplíe su vocabulario 

1. a; 2. d; 3. c; 4. b; 5. b; 6. c; 7. b; 8. c

24 ¿Cuál es la palabra? 

1. todo color de rosa; 2. la clave; 3. los medicamentos; 4. a cada rato; 5. por si acaso; 6. lo echo de menos; 7. decenas

25 ¿Qué palabra es?

1. por desgracia; 2. un abanico de posibilidades; 3. complejo; 4. vicio; 5. indescriptible; 6. tímido/a; 7. protagonista; 8. solucionar

26 Crucigrama 

Las respuestas pueden variar.

27 Verbos con preposición 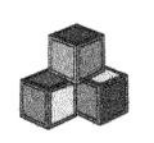

1. a; 2. a; 3. c; 4. a; 5. b

28 Verbos con preposición 

enterarse de	pensar en
estar a punto de	ponerse a
involucrarse en	soñar con

1. estaba a punto de; 2. se involucra en; 3. se enteraron de; 4. pensar en; 5. se puso a

Personalidad y personalidades Capítulo 4 Lección B

1 Preposiciones 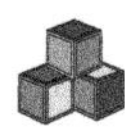

1. con; 2. a; 3. al; 4. en; 5. en; 6. en; 7. de; 8. de; 9. En; 10. A; 11. a; 12. A; 13. en; 14. A; 15. al; 16. en; 17. a; 18. de

3 Pronombres 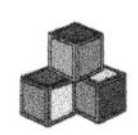

Pronombres	Usos	Con/sin preposiciones
que	pronombre relativo para personas y cosas	sin
quien/quienes	se refiere a personas sujeto en cláusulas sujeto de proverbios	con sin sin
el/la/los/las que	para personas y cosas para clarificar entre dos antecedentes *he who*	con sin sin
el/la cual, los/las cuales	para personas y cosas para clarificar entre dos antecedentes *he who*	con sin sin
cuyo/a, cuyos/as	adjetivo posesivo para personas y cosas	sin

4 Pronombres relativos 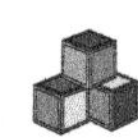

1. que; 2. lo que; 3. que; 4. cuyos; 5. que; 6. la que; 7. Lo que; 8. las cuales; 9. los que; 10.quienes; 11. que; 12. lo cual

5 Pronombres 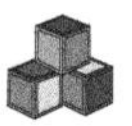

1. cuya; 2. quien; 3. quien; 4. la que; 5. que; 6. quienes; 7. quien; 8. lo que

6 ¿Cuál es la palabra? 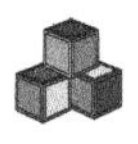

1. que, otro, lo, de, en, cocinaba; 2. del, que, tuviera, sin, de; 3. que, a, plástica, otras, de, por; 4. un, aquél, de, lo, con, es, le, puede; 5. un, para, a, porque, una, a, de

7 Familia de palabras 

1. triunfar, el triunfador/la triunfadora, triunfante; 2. fracaso, Fracasaré, un fracasado; 3. obsesionado, se obsesione, obsesiones

8 ¿Qué palabra es? 

1. de, que/cual, la, X; 2. de, a, con, que, se; 3. este, a, a, que, o, te; 4. le, los, en, se; 5. todos, que, que, de, X; 6. muy, hasta, la, por, X

9 Antes de leer 

Las respuestas pueden variar.

11 ¿Qué significa?

1. e; 2. d; 3. l; 4. o; 5. c; 6. h; 7. a; 8. b; 9. f; 10. j; 11. k; 12. n; 13. i; 14. m; 15. g

12 ¿Ha comprendido?

1. c; 2. b; 3. c; 4. c; 5. c

13 Pregunte

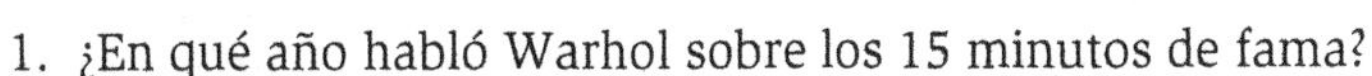

1. ¿En qué año habló Warhol sobre los 15 minutos de fama?
2. ¿Cuál es el eslogan del sitio Web YouTube?
3. ¿Por qué aprobaría Warhol el nuevo sitio Web de su museo?
4. ¿Qué programa ganó Kelly Clarkson?

14 ¿Qué significa? 

Posibles respuestas:
1. estar de moda; 2. darse a conocer; 3. sensación de entusiasmo o pasión; 4. mucha cantidad

15 Preposiciones 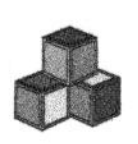

1. por; 2. en; 3. con; 4. de; 5. en

16 Escriba 

Las respuestas pueden variar.

17 Se titula...

Las respuestas pueden variar.

18 Antes de escuchar 

Las respuestas pueden variar.

19 Shakira, la historia  (CD 1, pista 11)

Fecha de nacimiento: 2 de febrero de 1977
Lugar: Barranquilla, Colombia
Nombre completo: Shakira Isabel Mebarak Ripoll
Signo zodiacal: Acuario
Altura: 4' 11" (1.50 m)

El éxito de la colombiana Shakira, ganadora de varios premios Grammy, es producto de una larga y severa carrera que inició desde niña y se consolidó en 1997 con su disco "Pies descalzos" y que se internacionalizó en el 2001 con el lanzamiento de su primer disco en inglés "Laundry Service".

Edgar García Ochoa, autor de un libro sobre la vida de la intérprete de "¿Dónde estás corazón?", asegura que la ascendente carrera de Shakira comenzó cuando a sus cinco años mostró sus primeras inclinaciones al canto y al baile. Recordó que, con esas artes, la ganadora del Grammy Latino de la Mejor Interpretación Vocal/pop femenina con "Ojos así" y la Mejor Interpretación Rock Femenina con "Octavo día", se destacó en el colegio preescolar de su natal Barranquilla, un puerto caribeño.

García Ochoa, de quien se dice que descubrió las dotes artísticas de Shakira y la promovió en las radios locales de Bogotá, aseguró que fue a los ocho años cuando realizó su primera presentación en público, "que por cierto fue muy insólita pero exitosa".

Anotó que esa primera aparición en los escenarios ocurrió en un club de mujeres separadas y divorciadas del puerto de Barranquilla, "que en aquella época se reunían para intercambiar experiencias y superar la soledad a que estaban sometidas".

"Yo ofrecí a las directivas del club la presentación gratuita de Shakira, a lo cual se opusieron al comienzo porque no entendían qué les podría brindar a su causa una niña de tan corta edad", señaló.

Ante la insistencia, las mujeres aceptaron la presentación y "quedaron sorprendidas con el espectacular baile árabe y la buena interpretación vocal que convirtieron a la reunión en una verdadera fiesta", puntualizó García Ochoa.

El periodista tiene listo un libro que narra toda la trayectoria de la cantante y, aunque no será una biografía oficial, ha recibido el aval de William Mebarak y Nidia Ripoll, padres de Shakira, quien popularizó temas como "Tú", "Ciega, sordomuda" y "No creo".

Fueron ellos quienes desde entonces promovieron el talento de su hija menor y lograron que una casa disquera la escuchara y le permitiera grabar su primer disco en 1990, cuando apenas iba a cumplir 13 años.

El promotor musical Ciro Ángel recuerda que en aquella época fue abordado por Ripoll en un hotel de Barranquilla, a donde había llegado con varios artistas de la casa disquera Sony Music para presentarlos en los carnavales de esa ciudad del Caribe. "En medio de mi asombro, doña Nidia sacó una vieja grabadora donde sonó un cassette con pistas musicales y me insistió en que escuchara a su hija. La niña, con una personalidad increíble, cantó, bailó y despertó la admiración de los presentes", recordó Ángel.

Agregó que al terminar los carnavales regresó a Bogotá con una grabación casera que presentó a los directivos de Sony, quienes se limitaron a responder que "había que dejarla madurar antes de hablar de cualquier negocio". "No contento, llamé a doña Nidia y le propuse que viajara a Bogotá, pagara los pasajes y yo la albergaba y le facilitaba la alimentación porque entonces no tenían muchos recursos", dijo.

"Con ellas aquí organicé una cena en el restaurante de un amigo e invité a los directivos de la Sony. La reunión fue amena y poco antes de la medianoche les anuncié una sorpresa musical", recordó Ángel. "Era Shakira, la dulce jovencita que habían rechazado, quien estaba ataviada con un traje árabe y que con su canto y su baile deslumbró a todos y a mí me volvió a conmover", añadió.

Al día siguiente ella y su madre estaban en la oficina de la presidencia de la Sony Music de Colombia firmando un contrato con el cual se grabó "Magia", su primera producción, que con temas de su autoría logró un notable éxito en este país.

Desde entonces su vida artística ha sido prodigiosa, no sólo en la música sino también en la actuación, al punto que fue protagonista de series para televisión.

Pero su gran éxito llegó en 1997 con su segunda producción "Pies descalzos", que penetró fácilmente a los mercados de Estados Unidos y Europa. Luego, de la mano de Emilio Estefan, consolidó su triunfo con el álbum "¿Dónde están los ladrones?", cuyo éxito "Ojos así" cruzó el Atlántico, se impuso en Estados Unidos y se escuchó en países árabes, tierra de sus ancestros.

En el año 2000 la vocalista grabó su "MTV Unplugged" y en el 2001 "Laundry Service".

Hoy Shakira está en la cúspide y se destaca en el mundo como una gran embajadora de la música colombiana. Desde hace varios años se le relaciona con Antonio de la Rúa, hijo del ex presidente argentino Fernando de la Rúa.

lanzamiento, *release*	casa disquera, *recording company*
ascendente, *ascending, rising*	abordado, *approached*
se destacó, *stood out, was outstanding*	asombro, *amazement*
insólita, *unusual, uncommon*	albergaba, *sheltered (her)*
sometidas, *subjected, undergoing*	amena, *pleasant*
brindar, *to offer*	autoría, *authorship*
insistencia, *insistence*	prodigiosa, *prodigious*
aval, *endorsement*	cúspide, *peak, summit*

1. b; 2. d; 3. c; 4. a; 5. a

20 ¿Ha comprendido?

1. Nació el 2 de febrero de 1977.; 2. Barranquilla; 3. De países árabes; 4. Antonio de la Rúa

21 Buscando errores 

3 acentos: mí, carismático, iría
3 tiempos verbales: se quejan por, haría cualquier cosa, me expliquen cómo
4 preposiciones: parecerme a ellos, siempre con gafas, verme en las portadas, sobre mi persona
3 concordancias: de la tele para, mi mujer, a las fiestas
2 pronombres: para serlo, puedo hacerles sombra

22 Escriba 

Las respuestas pueden variar.

23 ¡A conversar! 

Las respuestas pueden variar.

24 Presentemos en público 

Las respuestas pueden variar.

25 Amplíe su vocabulario 

1. a; 2. b; 3. b; 4. d; 5. b; 6. b; 7. b; 8. c

26 ¿Cuál es la palabra? 

1. televidentes; 2. La figura; 3. ha sembrado; 4. Al margen de; 5. hasta el punto de; 6. una amenaza; 7. campaña; 8. hemos afrontado

27 ¿Qué palabra es? 

1. ameno; 2. televidente; 3. patria; 4. estereotipo; 5. afrontar; 6. cotizar; 7. cadena; 8. poderoso

28 Crucigrama

Las respuestas pueden variar.

29 Verbos con preposición 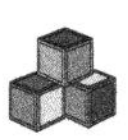

1. a; 2. d; 3. b; 4. a; 5. d

30 Verbos con preposición 

arrepentirse	de	influir	en
conformarse	con	interesarse	por
dedicarse	a	quejarse	de

1. Me hubiera conformado con; 2. se queja de; 3. se ha interesado por/se ha dedicado a; 4. influir en; 5. me arrepentí de

El rincón literario Capítulo 5 Lección A

1 La voz pasiva 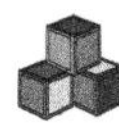

1. Se escribió *Don Quijote de la Mancha.*
   Don Quijote de la Mancha fue escrito por Cervantes.
2. Se han vendido todos los libros de Carlos Fuentes en la librería.
   Todos los libros de Carlos Fuentes han sido vendidos por la librería Aguirre.
3. No se ha reportado el incidente cabalmente.
   El incidente no ha sido reportado cabalmente por la prensa.
4. En la editorial EMCP se imprimió esta colección de cuentos.
   Esta colección de cuentos fue impresa por la editorial EMCP.
5. Es importante que se cubra este período de la historia.
   Es importante que este período de la historia sea cubierto por el autor.

2 Tiempos verbales 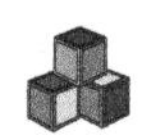

1. entraba; 2. supiese/supiera; 3. era; 4. seguirla; 5. entrando; 6. miraran; 7. se introdujeran; 8. apareció; 9. salió; 10. desapareció; 11. explicar; 12. fuese/fuera; 13. se atrevían; 14. acercarse; 15. empezaba; 16. dejar; 17. contribuyó; 18. empezó; 19. han irritado; 20. hablaban; 21. tenía; 22. había aparecido; 23. volviendo; 24. bailar; 25. habían visto; 26. cantando; 27. bajó; 28. visitar; 29. llamaba; 30. era; 31. llevaba; 32. crecía; 33. dando; 34. fue; 35. vieron; 36. contaron; 37. había comprendido; 38. creyesen/creyeran; 39. fuese/fuera; 40. descifrar; 41. dieron; 42. acompañaron; 43. habían tenido

3 Preposiciones 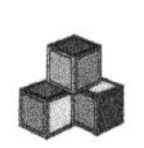

1. hasta, Para; 2. de, del, tal como; 3. A, X, consigo; 4. de, En, del; 5. ante, a, en contra; 6. de, en; 7. En, de; 8. A; 9. al, a; 10. de, de; 11. de; 12. de; 13. sobre, por; 14. con, del; 15. por; 16. De, Por, con; 17. en; 18. de, de; 19. en, de; 20. por, por, por; 21. en, De; 22. De, Para; 23. Por, a; 24. Por, por, Por; 25. Por, en, de

4 Preposiciones 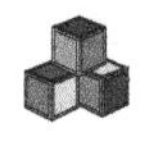

1. de; 2. a; 3. entre; 4. de; 5. Por; 6. en; 7. para; 8. en

5 Preposiciones 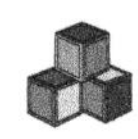

1. por; 2. a; 3. a; 4. de; 5. de; 6. con; 7. de; 8. de; 9. en; 10. en; 11. en; 12. en; 13. en; 14. en; 15. para; 16. en; 17. en; 18. de; 19. en

6 Preposiciones 

1. al; 2. de; 3. en; 4. a; 5. de; 6. a; 7. de; 8. por; 9. de; 10. de; 11. para; 12. con; 13. en; 14. de; 15. de; 16. al; 17. de; 18. con; 19. con; 20. a; 21. En; 22. por; 23. en; 24. de

7 Familia de palabras 

1. anotaciones, anotes, anotador; 2. Escribidles, escritura, escritoras; 3. el ensayo, ensayistas, ensayaras

8 Tiempos verbales

1. afeitarse; 2. carecía; 3. se vistió; 4. ajustados; 5. cerrados; 6. se sostenían; 7. pasaban; 8. cosidas; 9. usaba; 10. cerraba; 11. servía; 12. sostener; 13. estaba; 14. renunció; 15. Hacía; 16. fuera; 17. estaban; 18. ponerse; 19. vio; 20. vestido; 21. advirtió; 22. había envejecido; 23. examinó; 24. parecía; 25. Era; 26. parecía

9 Poesía

1. Porque es la evolución de los distintos pasos que sigue el amor entre dos personas
2. La mirada significa que la persona se ha fijado en uno, la sonrisa que la persona siente cierto aprecio o interés, el beso es la demostración de ese amor.
3. Parece que no.
4. Está dispuesto a darlo todo. Hasta le ofrece el mundo y el cielo, y por conseguirla haría cualquier cosa.
5. *Las respuestas pueden variar.*
6. *Las respuestas pueden variar.*

10 A mí me gusta... 

Las respuestas pueden variar.

11 Amplíe su vocabulario 

1. c; 2. d; 3. f; 4. h; 5. a; 6. b; 7. i; 8. g; 9. e

12 Tiempos verbales 

1. quiero; 2. vivía; 3. Vivía; 4. pasaba; 5. llegaba; 6. hacía; 7. se llamaba; 8. Era; 9. leía; 10. discutía; 11. habían existido; 12. se sentía; 13. se pasaba; 14. leyendo; 15. dormir; 16. leer; 17. secó; 18. se volvió; 19. pensaba; 20. ocurrió; 21. convertirse; 22. ir; 23. hacían; 24. Limpió; 25. tenía; 26. fue; 27. puso; 28. se puso; 29. quedándose; 30. era; 31. faltaba; 32. enamorarse; 33. Se acordó; 34. nombró; 35. poniéndole; 36. era; 37. pareció

13 Antes de leer 

Las respuestas pueden variar.

15 Amplíe su vocabulario 

1. b; 2. d; 3. e; 4. c; 5. a

16 "Tapitas" gramaticales 

sustantivos: Córdoba, jaca, luna, aceitunas, alforja, caminos, llano, viento, muerte, torres, camino
verbos: sepa, llegaré, está, mirando, espera, llegar
adjetivos: lejana, sola, negra, grande, roja, largo, valerosa, mi
adverbios: nunca, tan, antes
preposiciones: en, a, por, desde, de
conjunciones: y, aunque, que

17 Antes de leer 

Las respuestas pueden variar.

19 ¿Ha comprendido?

1. Empezó la Guerra Civil.
2. Era un coronel del bando nacionalista.
3. Había el bando nacionalista y el bando republicano.
4. Para chantajearlo. Tenían a su hijo prisionero y le dijeron que lo fusilarían si no se rendía.
5. Le dieron diez minutos.
6. Pausadamente, tranquilamente
7. Le dijo que lo fusilarían si no hacía lo que le pedían que hiciera.
8. Con un beso muy fuerte y con cariño y patriotismo.
9. Actúan con calma y heroísmo.
10. Menos de diez minutos. No dudó ni un momento sobre lo que debía de hacer. Tenía las cosas muy claras.
11. Lo mataron a los pocos días.
12. Estaba muy triste, pero no obstante siguió con su trabajo. Les dijo a los otros oficiales que debían continuar con lo que estaban haciendo.
13. Consideraron que su conducta fue un gesto de heroicidad y sacrificio por la Patria.

20 Antes de leer

Las respuestas pueden variar.

22 Amplíe su vocabulario 

1. i; 2. h; 3. b; 4. p; 5. k; 6. n; 7. g; 8. e; 9. d; 10. c; 11. f; 12. m; 13. a; 14. l; 15. j; 16. o; 17. q; 18. r

23 ¿Ha comprendido?

1. El narrador tienen el corazón roto, es un joven apasionado y triste.
2. Le escribe a su amada. Su relación ha terminado y le dice que habrá otros amores, pero que nadie la querrá de la forma en la que él lo hizo.
3. De un amor perdido
4. La naturaleza es cíclica; todo vuelve. Sin embargo, aquellas golondrinas que fueron testigos de su amor, no volverán, al igual que el rocío, o las madreselvas. El amor puede volver pero no será igual.
5. No, el narrador cree que nadie puede amar tan profundamente como él.

24 Se titula...

Las respuestas pueden variar.

25 El monte de las almas (CD 2, pista 1) (adaptación del cuento de Gustavo Adolfo Bécquer, "El monte de las ánimas")

Narrador: Era la Noche de los Difuntos, y me desperté por el replicar de las campanas. Su sonido monótono y eterno me hizo recordar una leyenda que oí hace poco en Soria. Intenté dormir de nuevo. ¡Imposible! Para pasar el rato, decidí escribirla. Yo la oí en el mismo lugar donde sucedió y he de reconocer que la he escrito volviendo algunas veces la cabeza con miedo cuando sentía crujir los cristales de mi balcón por el aire de la noche. Aquí va mi historia.

Alonso: ¡Vámonos! Dígales a los cazadores que vuelvan y que otro día continuaremos. Yo seguiría buscando a los lobos que buscan comida en el pueblo si no fuera porque es el Día de los Difuntos. Dentro de poco sonará la oración de los Templarios, y las almas de los que murieron comenzarán a hacer sonar las campanas en la capilla del monte.

Beatriz: ¿Esta capilla? Pero si está completamente en ruinas. Ay, yo sé que lo que quieres es asustarme.

Alonso: No, en serio. Tú no sabes nada de esto ya que llegaste a nuestro país tan solo hace un año. Pero, mientras que volvemos, te voy a contar la historia.

Narrador: Todos subieron a sus caballos, y se dirigieron al pueblo mientras que al frente Alonso le contaba la historia a Beatriz.

Alonso: Este monte, al que hoy en día se conoce como el de las Almas, pertenecía a los Templarios, cuyo convento puedes ver allí, a lo lejos, junto al río. Los Templarios eran guerreros y religiosos a la vez. Conquistada Soria a los árabes, el rey los hizo venir de lejanas tierras para defender la ciudad. Los nobles se ofendieron mucho por esto pues pensaban que ellos podían defenderla solos y no necesitaban ayuda de nadie. Entre los caballeros de la orden poderosa de los Templarios y entre los nobles de la ciudad cada vez había más odio. Los primeros tenían el control sobre el monte donde siempre cazaban. Los segundos decidieron hacer una gran cacería un día, a pesar de las prohibiciones de los Templarios. Al final, aquello nunca fue una cacería, sino que se convirtió en una batalla espantosa donde fallecieron muchísimas personas. Cuando el rey supo de ello, decidió que nadie fuera a ese monte, al que se le culpaba por las muertes. La capilla se abandonó, aunque allí enterraron a los templarios muertos. Cuentan que desde entonces, cada noche de Difuntos, las almas de los muertos salen y corren como si estuvieran en una cacería. Al día siguiente, muchos han visto huellas impresas en la nieve, como de esqueletos. Por eso se le sigue llamando el Monte de las Almas, y por eso he querido irme antes de que caiga la noche.

Narrador: La pareja llegó al pueblo junto a los otros nobles y cazadores. Muchos se reunieron en una casona donde contaban historias alrededor de la chimenea. Alonso miraba a Beatriz con admiración. Beatriz finalmente le dijo:

Beatriz: ¿Te acuerdas de la banda azul que llevé hoy a la cacería?

Alonso: Sí.

Beatriz: Pues la he perdido y pensaba dártela como recuerdo.

Alonso: ¿Que se ha perdido? ¿Pero dónde?

Narrador: Preguntó Alonso, con una mezcla de temor y esperanza.

Beatriz: En el Monte de las Almas debió de ser.

Alonso: ¡En el Monte de las Almas!

Narrador: Alonso se sentó pálido.

Alonso: Tú sabes que soy conocido por todos por mi valor. He luchado en muchas batallas y he cazado lobos y osos, pero el Monte de las Almas...

Narrador: Beatriz sonrió.

Beatriz: Sí, claro, sería muy peligroso. Está oscuro, habría que ser muy valiente para ir.

Narrador: Al terminar esta frase, Alonso comprendió su ironía. Se puso de pie y con voz firme se dirigió a la hermosa joven y dijo:

Alonso: Adiós, Beatriz. Hasta pronto.

Narrador: A los pocos minutos se oyó un caballo que se alejaba a galope. La hermosa joven se quedó allí sentada con una expresión de orgullo y satisfacción. Pasó una hora, dos, tres, casi era medianoche y Alonso no volvía. Finalmente, se durmió. Sonaron las doce en el reloj de la plaza. Creyó oír su nombre, como que venía de muy lejos, como con dolor. El viento golpeaba con fuerza la ventana. Pensó que era el viento. No obstante, su corazón latía cada vez más fuerte. Oyó muchos ruidos extraños durante toda la noche. Oía mil ruidos distintos. Al final dijo:

Beatriz: Bah, soy tan miedosa como esta estúpida gente del pueblo.

Narrador: Pero Beatriz no se podía dormir. Oyó pisadas, que se acercaban a su habitación. Eran reales. Cada vez estaban más cerca. Beatriz lanzó un grito, y se metió debajo de las sábanas conteniendo la respiración. Así pasó una hora, dos, la noche, un siglo, porque aquella noche pareció eterna para Beatriz. Al fin amaneció. Después de una noche de insomnio y temores, le hacía tanta ilusión ver la luz. Estaba a punto de reírse de sus temores antiguos cuando de repente un sudor frío cubrió su cuerpo. Una palidez mortal le quitó completamente el color de sus mejillas. Allí, a su lado, estaba la banda que había perdido en el monte, llena de sangre. A los pocos minutos sus sirvientes llegaron a comunicarle la muerte de Alonso. Cuando entraron, la encontraron inmóvil, con la boca abierta, completamente blanca. Beatriz había muerto de terror.

almas, *souls*
campanas, *bells*
Soria, *a province in northeast Spain*
crujir, *to creak*
cazadores, *hunters*
los Templarios, *knight-Templars*
en ruinas, *in ruins*
Conquistada, *conquered (from)*
lejanas, *distant*
cacería, *hunt*
espantosa, *horrifying*
enterraron, *buried*
caiga la noche, *nightfall, dusk*
banda, *sash*
pálido, *pale*
dirigió, *spoke to*
latía, *palpitated, beat*
pisadas, *steps*
lanzó, *let loose*
amaneció, *it dawned*
sudor, *sweat*

1. El sonido del replicar de las campanas, y el hecho de que era la Noche de los Difuntos
2. El ruido que hacían los cristales al crujir por el viento que le daba miedo
3. Estaban en el campo de cacería. Cazaban lobos.
4. Porque creía que en breve las almas de los muertos del monte saldrían.
5. Beatriz se lo tomó a risa, pues no era de la zona y no creía que fuera verdad la leyenda. También parece ser una joven fría, y calculadora.
6. Eran guerreros y religiosos a la vez.
7. Porque los nobles querían reconquistar Soria de manos de los árabes, y el rey llamó a los Templarios para ayudar a defenderla; los nobles estaban ofendidos pues creían que podían defenderla solos.
8. Los nobles fueron a cazar al monte dominado por los Templarios, cuando no les estaba permitido.
9. Las huellas de las pisadas de los esqueletos de los muertos
10. Que se le había perdido una banda azul que pensaba darle de regalo; en el Monte de las Almas
11. Fue a buscar la banda porque estaba enamorado de Beatriz y porque ella se había burlado de su valor. Así que se vio forzado a probar su valentía.
12. Se murió.
13. Su banda azul llena de sangre
14. Se murió de terror.

26 ¡A conversar! 

Las respuestas pueden variar.

27 Escriba 

Las respuestas pueden variar.

28 Composición

Las respuestas pueden variar.

29 Ensayo 

Las respuestas pueden variar.

30 Amplíe su vocabulario 

1. c; 2. b; 3. b; 4. c; 5. d; 6. d; 7. d; 8. c; 9. b; 10. a

31 ¿Cuál es la palabra? 

1. decorado; 2. estrenar; 3. autodestructiva; 4. ensayista; 5. realismo mágico; 6. ternura; 7. periodista; 8. mero

32 ¿Qué palabra es? 

1. acrecentar; 2. sabio/sabia; 3. fallecer; 4. portadilla; 5. desgarrador; 6. poema épico; 7. cuento; 8. saquear; 9. tragedia; 10. hallazgo

33 Crucigrama 

Las respuestas pueden variar.

34 Falsos cognados

1. a; 2. b; 3. a

El rincón literario Capítulo 5 Lección B

1 Tiempos verbales

1. tenía; 2. decía; 3. podemos; 4. necesitamos; 5. tiene; 6. puede; 7. haga; 8. encender; 9. nos sentiremos

2 Tiempos verbales 

1. es; 2. sentirse; 3. dejar; 4. buscamos; 5. es; 6. hemos encontrado; 7. palpitar; 8. corremos; 9. corre; 10. acabarnos

3 Familia de palabras 

1. Redacción, redactando, redactora; 2. sintieras, sentimientos; 3. aprender, aprendizaje

4 Tiempos verbales 

1. Había nacido; 2. rodeado; 3. Era; 4. decidieron; 5. dejando; 6. fue; 7. enfrentarse; 8. Se separaron; 9. tiene; 10. tiene; 11. dárselo; 12. sean; 13. extrañan; 14. se va; 15. sentados

5 Tiempos verbales 

1. Terminaron; 2. eran; 3. se sentían; 4. adivinaban; 5. se anticipara; 6. iba; 7. Habían; 8. Fue; 9. amaron; 10. había

6 Tiempos verbales 

1. ocurra; 2. he vivido; 3. Estoy; 4. tienen; 5. saben; 6. quieren; 7. parece; 8. parece; 9. han sufrido; 10. ir; 11. parecerlo; 12. lavar; 13. empleaba; 14. raspaba; 15. rodeaban; 16. dudarlo; 17. había sido; 18. había; 19. había sido; 20. quedaba; 21. había sentido; 22. había telefoneado; 23. llenó; 24. ser; 25. ser; 26. Me acordaba; 27. se había repetido; 28. era; 29. alaban; 30. crezca; 31. tendrá; 32. dan; 33. corriendo; 34. Veía; 35. correr; 36. describían; 37. esparcir; 38. hacía; 39. trataba; 40. apareciera; 41. planchado; 42. pensaba

7 Tiempos verbales 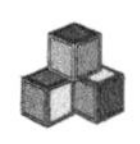

1. compartí; 2. decía; 3. había dejado; 4. fuese; 5. seguir; 6. era; 7. era; 8. viví; 9. decorada; 10. siento; 11. conservar; 12. es; 13. Tenemos; 14. me di; 15. atravesaba; 16. recuperar; 17. queda; 18. hay; 19. reflejarse; 20. seamos; 21. es; 22. dejarían

8 Tiempos verbales 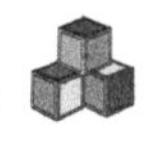

1. Apagó; 2. alborotaba; 3. se sentó; 4. se acomodó; 5. se levantaban; 6. metidas; 7. sintió; 8. sufriera; 9. se muriera; 10. tardarían; 11. descubrirla; 12. morir; 13. Tenía; 14. carecía; 15. Encendió; 16. enmarcaba; 17. se miró; 18. fuera; 19. tuviera; 20. decía; 21. decía; 22. había creído; 23. se encontraba; 24. se extingue; 25. se podía; 26. Hacía; 27. conseguía; 28. se sentía; 29. se hacía; 30. se asomaba; 31. intentar; 32. Seguía; 33. pueden

9 Tiempos verbales 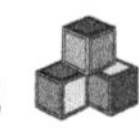

1. Estaba; 2. miran; 3. convierten; 4. se hacen; 5. puede; 6. surquen; 7. existe; 8. suele; 9. se produzca; 10. leía; 11. estaba; 12. levanta; 13. podrá; 14. acariciar; 15. sabe

10 Antes de leer 

Las respuestas pueden variar.

12 ¿Ha comprendido?

Sección 1

1. Porque sus padres trabajaban en un naranjal, y siempre fueron parte de su vida
2. Dice que eran globos dorados.
3. Las usaban para casi todo, al no tener dinero para muebles.

Sección 2

1. Eran distintas, y tenían dibujos.
2. Porque durante mucho tiempo fueron los únicos adornos que había en la habitación donde vivía su familia.
3. Tenían tres diseños principalmente: flores (como azahares, amapolas y orquídeas), un gato negro y una carabela.
4. Que las astillas, a veces se les clavaban en las manos.
5. Cuando te regalan algo, no debes de protestar.

Sección 3

1. Venían de México en la búsqueda de El Dorado, o sea, para poder hacer dinero.
2. Abanicos de hojas temblorosas
3. Aunque poco a poco los padres fueron ganando más dinero, tenían serios problemas económicos. El personaje principal no tenía ropa (usaba la de su padre) y vivían todos en una habitación.
4. Para que pudiera tener mejor vida de la que tenían los padres
5. Porque se burlaban de él, y no tenía motivación. La profesora era muy aburrida.

Sección 4

1. Iba con su padre a trabajar en los naranjales.
2. Ganaba quince centavos por cada caja de naranjas que recogía.
3. Se imaginaba que era un pájaro encima de la escalera; al estar el padre tan orgulloso de su trabajo, él también lo estaba. Le gustaba el olor de las naranjas al cortarlas y el hecho de que regresaba a casa en los hombros de su padre cantando. Todo esto le parecía más interesante que la escuela.
4. Una enorme bolsa de lona
5. "Rocío salado de la frente". El protagonista muestra el orgullo que sentía de ese sudor, al compararlo con el rocío, que lo hace hermoso.
6. El padre sentía un gran orgullo. Lo muestra el hecho de que siempre volvía cantando y riéndose.

Sección 5

1. La describe como alguien débil, pálida, delicada y que se cansaba con facilidad. También era muy religiosa.
2. Comida típica pero barata: frijoles y tortillas
3. Se murió por tomar "leche mala".
4. No, porque la compañía vendió unos terrenos a constructores.
5. El dueño pensaba despedir a muchos de sus empleados.
6. Su madre estaba cada vez más pálida y su padre perdió toda la alegría y el orgullo.
7. *Las respuestas pueden variar.*

Sección 6

1. Decía que si pudiera hacer uno de esos trabajos podría encontrar otro trabajo en la construcción de casas.
2. Para buscar allí un empleo
3. Se fue sin dinero.

4. Para que no los vieran y no sospecharan; al no tener dinero, pretendía subirse al tren sin pagar.
5. Hacía frío y había neblina.
6. Estaban nerviosos y tensos porque ya estaban solos.
7. El presente del subjuntivo; se sobreentiende que hay una expresión antes similar a "le deseo que o espero que".

Sección 7

1. Alrededor de las diez
2. Para decirle que su padre había fallecido
3. La madre lloraba y agarraba a su hijo desesperadamente.
4. Como un hombre fuerte y alegre
5. Había intentado pasar de un vagón a otro y, debido a la neblina y mucha humedad en el techo del tren, probablemente se resbaló.

Sección 8

1. Los antiguos compañeros del padre pagaron el viaje. Hicieron una colecta.
2. A Los Ángeles
3. De los naranjales, pues les tenía mucho cariño y representaban una vida feliz junto a su papá para él
4. Para que terminara la escuela secundaria
5. El hijo ayudará a su madre, porque no tiene mucha pensión.
6. La casa tiene muebles.
7. En su padre y en las cajas de naranjas de su niñez
8. Como alguien alegre, orgulloso y fuerte

13 Se titula...

Las respuestas pueden variar.

14 ¡A escribir! 

Las respuestas pueden variar.

15 Charlemos 

Las respuestas pueden variar.

16 ¡A presentar! 

Las respuestas pueden variar.

17 ¡A escribir! 

Las respuestas pueden variar.

18 La gitanilla por Miguel de Cervantes  (CD 2, pista 2)

Narrador: Parece que los gitanos y gitanas solamente nacieron en el mundo para ser ladrones: nacen de padres ladrones, se crían con ladrones, estudian para ladrones y, finalmente, salen con ser ladrones corrientes y molientes; y la gana de hurtar siempre va con ellos como algo inseparable que tan sólo la muerte les quitará.

Una gitana vieja crió a una muchacha como a su nieta, le puso el nombre de Preciosa y le enseñó todo lo que saben los gitanos.

Preciosa terminó siendo la mejor bailadora, la más hermosa y la más discreta, y no tan sólo entre los gitanos. La abuela, viendo el potencial que tenía, decidió sacar dinero, pues había mucha hambre en aquel entonces, y se la llevó a Madrid. Al poco tiempo de llegar allí ya era famosa en la Corte por su belleza, su discreción y su talento.

Así pues la abuela y la joven ganaron mucho dinero y, como se dice, "hicieron su agosto", pues adonde iban siempre sacaban dinero de la gente, ya que todos admiraban a Preciosa. Eran muchos los que se sorprendían al saber que la muchacha sabía leer y escribir. Un día, un joven le dio unos versos a Preciosa que había escrito para ella para que los cantara. Cuando más tarde estaba cantándole a unos caballeros, la gitanilla les dijo que iba a cantarles unos versos que un joven le acababa de dar, aunque les avisó que no los había leído antes.

Al leer la joven el poema se dio cuenta de que en verdad era una declaración de amor de un joven enamorado de Preciosa, y decía al final "esto humildemente escribe el que por ti muere y vive, pobre, aunque humilde amador".

Preciosa: En "pobre" acaba el verso. Mala señal. Nunca los enamorados deben de decir que son pobres, porque según creo la pobreza es muy enemiga del amor.

Caballero: ¿Quién te enseñó esto muchacha?

Preciosa: ¿Quién me lo tiene que enseñar? Que yo ya tengo quince años. Los ingenios de las gitanas van a otro ritmo que los de las demás. Siempre se adelantan a sus años; no hay gitano necio, pues para conservar su vida tienen que ser astutos y embusteros y deben usar su ingenio a cada paso. No hay muchacha de doce años que no sepa lo que una de veinticinco, porque tienen como maestro al Diablo, que les enseña en una hora lo que normalmente se aprende en un año.

Narrador: Los caballeros quedaron admirados con todo lo que la gitanilla les decía, y todos le dieron dinero. La gitana cogió el dinero y se fue muy contenta. Un día, cuando volvían la gitanilla y su abuela de Madrid, se encontraron con un apuesto galán. Llevaba una espada brillante como el oro y un sombrero adornado con plumas de diferentes colores. El joven les dijo que era caballero, hijo de nobles y que quería hacer a la joven Preciosa su igual y le pidió que se casara con él. Mientras que el caballero le decía esto, Preciosa le miraba atentamente y volviéndose a la vieja le dijo:

Preciosa: Perdone abuela, pero tomo permiso para contestar a tan enamorado señor.

Narrador: Y Preciosa dijo:

Preciosa: Yo, señor caballero, aunque soy gitana pobre y nacida de manera humilde, tengo cierto espíritu fantástico aquí dentro. A mí ni me mueven promesas, ni regalos, ni nada, aunque tengo quince años, soy ya vieja en los pensamientos. Yo sé que una vez que una persona alcanza su deseo, ya no quiere de igual manera la cosa que antes adoraba. Así que ninguna palabra creo y de muchas dudo. Si queréis ser mi esposo, yo seré vuestra, pero muchas cosas deben ser aclaradas primero y cumplirse muchas condiciones.

Narrador: El joven enamorado le dijo que haría cualquier cosa por ella, hasta convertirse en gitano. Mientras más cosas le decía Preciosa, más enamorado estaba el caballero, pues era una joven muy sabia. El joven le dio una bolsa con dinero a la anciana, aunque Preciosa le dijo que no lo aceptara. La vieja le respondió:

Vieja: Calla, niña, que no quiero que por mí pierdan las gitanas el nombre adquirido durante muchos años, de codiciosas. Si algunos de nuestros parientes caen en manos de la justicia este dinero nos será muy útil, ya que en tres ocasiones he estado yo en un burro para ser azotada y gracias a un poco de dinero me he salvado.

Narrador: El joven Andrés, que así se llamaba, se despidió y quedaron en verse en ocho días. Preciosa tenía muchas ganas de tener más información sobre aquel joven y asegurarse de que era verdad todo lo que le había dicho. Pronto la joven fue a Madrid para saber más de su enamorado. El joven poeta le dio otro verso de amor que había escrito para ella, aunque ella lo guardó sin hacerle mucho caso, pues lo que de verdad quería era ir a visitar la casa del caballero llamado Andrés. Y así lo hizo. Cuando llegó conoció a su padre y bailó para todos ellos juntos con las otras gitanas. Durante uno de esos bailes se le cayó el papel con los versos que le había escrito el joven poeta y un caballero que lo cogió lo leyó en voz alta, lo que provocó muchos celos en el joven Andrés. Ella tranquilizó a su enamorado y se despidió de él.

Por fin llegó el día en el que Andrés, el caballero, volvió a ver a su amada. Los gitanos se la ofrecieron como esposa, aunque ella le dijo a su enamorado que sólo lo sería si él cumplía durante dos años las condiciones que ella le había dado. Preciosa temía que Andrés se cansara de ella y se fuera con otra. Andrés aceptó con gusto vivir con los gitanos y convertirse en uno de ellos. Le enseñaron a robar, aunque al ser noble le costaba hacerlo pues le costaba ver sufrir a las personas cuando eran robadas. Así que lo que Andrés hacía era devolverles las cosas robadas cuando los gitanos no se daban cuenta. Pasado un tiempo, él les decía que prefería robar solo, y así podía comprar las cosas con su propio dinero y después decirles a sus compañeros los gitanos que las había robado él. Debido al ingenio de Andrés, sus formas y muchas otras cualidades pronto se hizo muy famoso y Preciosa se enamoraba cada vez más de él.

Un día, en medio de la noche, llegó un hombre al campamento diciendo que se había perdido. Andrés le dijo que los gitanos, aunque ladrones, siempre eran hospitalarios y le permitieron quedarse allí. Preciosa lo reconoció enseguida. Era el joven que le escribía poemas de amor a ella, así que se lo dijo a Andrés con temor a que hiciera algo malo para conquistarla. Cuando Andrés le preguntó que si había venido por Preciosa, él joven, a quien llamaremos don Sancho, le dijo que ése no era el motivo, que lo hacía porque iba huyendo de la justicia.

Un día, después de levantar el campamento, se fueron a un lugar cerca de Murcia, donde le sucedió a Andrés una desgracia que lo puso en grave peligro.

Se alojaron un grupo de gitanos en un albergue de una viuda muy rica que tenía una hija de unos diecisiete o dieciocho años que se llamaba Carducha. Ésta se enamoró locamente de Andrés y le pidió que se casara con ella. El joven caballero le respondió que los gitanos sólo se casaban con gitanos y que en cualquier caso él ya estaba comprometido con otra muchacha. Andrés decidió ser prudente e irse de allí, pero la joven, dispuesta a vengarse por la humillación de ser rechazada, puso unas joyas dentro de las pertenencias de Andrés y cuando éste se iba del albergue comenzó a gritar y a decir que le habían robado. Cuando encontraron las joyas entre las cosas de Andrés, uno de los soldados le dio una bofetada a Andrés, quien ante tal humillación recordó su nobleza y en un segundo le quitó rápidamente la espada a uno de los soldados y se la clavó a quien le había golpeado, matándole. Inmediatamente muchos de los gitanos allí fueron apresados. A Andrés lo metieron en un calabozo y llevaron a Preciosa a que viera a la Corregidora, quien sintió una gran admiración de su belleza al verla entrar en el pueblo.

Preciosa le suplicó a la Corregidora que perdonara a Andrés, y le dijo que estaba enamorada de él. La Corregidora abrazaba a la muchacha mientras que le decía que le hacía pensar en la hija que le fue robada al nacer. En esos momentos la vieja sacó un cofre donde había varios objetos que demostraban que Preciosa era la hija de la Corregidora. La vieja le confesó que ella fue la que había robado a la hija de la Corregidora al dar a luz. La Corregidora no podía creer lo que estaba oyendo, así que buscó una marca de nacimiento que su hija tenía y la encontró. Efectivamente, Preciosa era la hija desaparecida de la Corregidora.

Preciosa estaba confundida, pues no entendía muy bien lo que sucedía. El Corregidor perdonó a la vieja por haber recuperado a su hija. Y lamentó que su hija estuviera casi casada con un gitano, ladrón y asesino. La vieja y Preciosa le explicaron a los Corregidores que Andrés era en realidad el hijo de don Francisco, y que ambos eran caballeros de Calatrava. Mientras que la gitana vieja fue a buscar el traje de don Andrés, el Corregidor y su esposa le hacían a Preciosa miles de preguntas, a las que ella siempre respondía con gracia y discreción. Le preguntaron si amaba a don Andrés y ella respondió que estaba agradecida de que él se hubiera humillado a ser gitano por ella, pero que de ahora en adelante ella obedecería a sus padres. La Corregidora, al ver lo enamorada que estaba Preciosa de Andrés, le pidió a su esposo que se la dieran como esposa, a lo que el Corregidor respondió:

Corregidor: Hoy hemos hallado a nuestra hija después de tantos años ¿y tú quieres ya que la volvamos a perder? Gocemos de su compañía por un tiempo, pues al contraer matrimonio ya no será nuestra, sino de su esposo.

Narrador: El Corregidor, no obstante, fue a ver a Andrés, y cuando comprobó todo el amor que sentía por Preciosa, le dejó en libertad y le permitió que se casaran. También le contó la historia de Preciosa y de cómo, en realidad, ella era su hija. A los pocos meses se celebró la boda. Los padres de Andrés, que en verdad se llamaba don Juan, asistieron contentos a la boda, aún más cuando supieron que Preciosa pertenecía a una familia tan importante...y la vieja... pues, la vieja gitana decidió quedarse por ahí cerca, pues no quería alejarse de su querida...nieta.

gitanos, *gypsies*
corrientes y molientes, *ordinary, usual*
hurtar, *to steal*
discreta, *prudent*
hicieron su agosto, *made a very handsome profit*
humildemente, *humbly*
mala señal, *bad sign*
ingenios, *cleverness*
necio, *foolish, stupid*
embusteros, *liars*
cogió, *grabbed*
alcanza, *has reached*
sabia, *wise*
codiciosas, *greedy*
azotada, *flogged*
quedaron en verse, *agreed to meet*
le costaba hacerlo, *it was hard for him to do it*
ingenio, *ingenuity*
huyendo, *escaping*
albergue, *lodging*
viuda, *widow*
dispuesta a vengarse, *ready to take revenge*
rechazada, *rejected*
bofetada, *slap in the face*
clavó, *stabbed*
calabozo, *dungeon*
Corregidora, *wife of a Corregidor (a Spanish magistrate)*
cofre, *coffer*
humillado, *humiliated*
hemos hallado, *we have found*
aún más, *even more*

1. la joven gitana Preciosa, la vieja abuela de la gitana, el joven "caballero Andrés", el joven "poeta", el Corregidor, la Corregidora, Carducha.
2. todos eran ladrones.
3. era muy bella, educada, honesta y lista. También tenía un gran don para bailar y cantar.
4. estaba enamorado de ella.
5. había muchas mujeres analfabetas, y mucho más si eran gitanas, pues no recibían ninguna educación al ser pobres y nómadas.
6. estaba completamente enamorado de ella y que quería que fuera su esposa.
7. con el tiempo dejara de amarla.
8. en gitano y se fue a vivir con los gitanos al campo.
9. no. Aunque lo intentó le daba demasiada pena la gente, así que lo que hacía era comprar las cosas y luego decirles a los otros gitanos que las había robado.

10. era la hija de una viuda muy rica, dueña del albergue donde se quedaron una noche. Ésta se enamoró del joven Andrés y cuando él la rechazó dijo que él la había robado.
11. sido acusado del robo y también porque mató a uno de los soldados.
12. amaba a Andrés y que éste era inocente.
13. fue a buscar unas cosas que pertenecían a Preciosa y que ella guardaba desde joven.
14. en realidad era la hija de los Corregidores y que ella la había robado al nacer.
15. no quería que se casara Preciosa con nadie, pues quería disfrutar de su compañía, pero al ver lo enamorados que estaban y lo bueno que era Andrés, les dejó casar.

19 ¡A conversar!

Las respuestas pueden variar.

20 Amplíe su vocabulario

1. d; 2. b; 3. a; 4. a; 5. a; 6. d; 7. b; 8. c

21 ¿Cuál es la palabra?

1. puso en relieve; 2. efímera; 3. el rendimiento; 4. hogareño; 5. trabalenguas; 6. imborrable; 7. ha puesto en marcha/puso en marcha; 8. saquen a la luz

22 ¿Qué palabra es?

1. una burrada de gente; 2. bello; 3. editar; 4. inculcar; 5. cotidiano; 6. metáfora; 7. fomentar; 8. letra

23 Crucigrama

Las respuestas pueden variar.

24 Vocabulario en contexto

1. a; 2. a; 3. a; 4. b; 5. b

Puro deporte Capítulo 6 Lección A

1 Artículos definidos 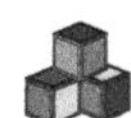

1. el (excepción)
2. la (termina en -z)
3. la (termina en -tud)
4. el (termina en -or)
5. el (termina en -aje)
6. el (idiomas son masculinos)
7. el (compuestos formados por verbo + sustantivo son masculinos)
8. el (nombres de árboles son masculinos)
9. la (nombres de frutas son femeninos)
10. el (compuestos formados por verbo + sustantivo son masculinos)
11. el (Los sustantivos que empiezan con "a" o "ha" acentuada (con o sin tilde) llevan artículo masculino en el singular aunque sean femeninos: el agua, las aguas. Otros sustantivos de este tipo son águila, hacha, ave, área...)
12. la (termina en -z)
13. las (lleva artículo masculino en singular y femenino en plural)
14. el, la (termina en -ista, masculino y femenino)
15. la (excepción)
16. la (excepción)
17. la (termina en -ión)
18. el (excepción)
19. el (ríos son masculinos)
20. el (Los sustantivos que empiezan con "a" o "ha" acentuada [con o sin tilde] llevan artículo masculino en el singular aunque sean femeninos: el agua, las aguas. Otros sustantivos de este tipo son águila, hacha, ave, área ...)
21. la (termina en -z)
22. el, la (El cámara es la persona que filma, mientras la cámara es el aparato)
23. la (Foto es abreviatura de fotografía.)
24. la (normalmente las palabras que terminan en -ave son femeninas y llevan el artículo la; excepción: el ave, las aves)
25. la (termina en -umbre)

2 ¿Indicativo o subjuntivo? 

1. quepamos/quepan; 2. vaya; 3. trajeras; 4. hubieras visto; 5. hay; 6. oís; 7. sepa; 8. consiguió; 9. vio; 10. llueve

3 ¿Indicativo o subjuntivo? 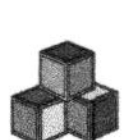

1. mantenga/haya mantenido; 2. nos cayéramos; 3. quedan; 4. digas; 5. llueva; 6. me cayeran; 7. niegue; 8. consiguierais; 9. distinga; 10. averigüe

4 El tenis 

1. tiene; 2. quieren; 3. hubiera; 4. es; 5. piensan; 6. dice; 7. practicaba; 8. hallaron; 9. datan; 10. han ido evolucionando/han evolucionado; 11. empezó; 12. practicaban; 13. convertirlo; 14. terminaron; 15. hubiera/habría; 16. haber nacido/nacer; 17. llegó; 18. se atreviera; 19. practicarlo; 20. perteneciera; 21. practicaba; 22. deberíamos; 23. ver

5 El subjuntivo 

Las respuestas pueden variar.

6 Familia de palabras 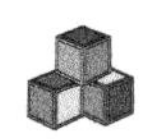

1. se aísla, el aislamiento; 2. la natación, nadadores, nadara; 3. apuestas, apostamos, apuesto

7 Tito espera...

1. seguía; 2. poder; 3. Sabía; 4. iba; 5. Irían; 6. inquietaba; 7. se puso/se había puesto; 8. dijeron/habían dicho; 9. venir; 10. se levantó; 11. se fue; 12. Tomó; 13. se puso; 14. estaba; 15. parecía; 16. Se sentó; 17. había comido/comió; 18. Hojeaba; 19. llevaba; 20. mirara; 21. quería; 22. llegara; 23. iba; 24. estaba; 25. mirándole; 26. hubiera dado; 27. se movieran; 28. parecía; 29. movieran; 30. fijó; 31. colgaba; 32. era; 33. eran; 34. estaba; 35. se quedaron; 36. sintió; 37. había; 38. Se sentía; 39. estaba; 40. fuera; 41. vivía/vivió; 42. fue; 43. pasaba; 44. fue; 45. era; 46. se sintiera; 47. estaba; 48. es/era; 49. debería; 50. había querido/haya querido; 51. fueron construidas; 52. permitió; 53. existe; 54. permite; 55. practicaba; 56. iría; 57. había prohibido/prohibió; 58. había prometido/prometió; 59. haría; 60. eran; 61. se vería; 62. abandonara; 63. saber; 64. daré

8 Antes de leer 

Las respuestas pueden variar.

10 ¿Ha comprendido?

1. b; 2. a; 3. d; 4. c; 5. d; 6. b; 7. c

11 ¿Dónde va? 

1. D; 2. A; 3. C; 4. B; 5. frase extra

12 ¿Qué significa? 

Las respuestas pueden variar.

13 ¿Qué significa? 

1. d; 2. b; 3. f; 4. e; 5. a; 6. c

14 Preposiciones 

1. a; 2. en; 3. de; 4. con

15 Escriba 

Las respuestas pueden variar.

16 Se titula...

Las respuestas pueden variar.

17 ¡A conversar! 

Las respuestas pueden variar.

18 Escuelas buscan ofrecer deportes alternativos a los estudiantes CD 2, pista 3)

El yoga, la escalada o el aeróbic son algunas de las nuevas opciones que escuelas e institutos en Estados Unidos ofrecen cada vez más como alternativa a los clásicos deportes de equipo, como el fútbol o el baloncesto. "Los deportes de equipo están dominados por una minoría de atletas, mientras el resto se siente incómodo o humillado", dijo el profesor de quinesiología de la Universidad de Pensilvania George Graham. La creciente preocupación por una epidemia de obesidad infantil está detrás de estos cambios que, de generalizarse, modificarían sin duda de manera radical la dinámica deportiva que reina en los centros educativos del país. Según los Centros para el Control y Prevención de Enfermedades (CDC), el 30 por ciento de los estudiantes de primaria y secundaria son obesos y la tendencia aumenta cada vez más, en paralelo a lo que se produce entre los adultos estadounidenses. Esta cifra podría combatirse incluyendo clases de gimnasia que, en lugar de fomentar la competitividad entre los estudiantes, promoviesen un estilo de vida sano y se adecuaran a las habilidades de los diferentes alumnos. Hasta el momento, menos de un 8 por ciento de las escuelas e institutos del país han incorporado estas nuevas propuestas a los programas de educación física.

Los expertos alertan, sin embargo, de que replantearse la gimnasia obligatoria escolar y un buen ejercicio físico es necesario para acabar con la vida sedentaria que convierte a los estadounidenses en obesos a edades tan tempranas. La trilogía del deporte escolar en Estados Unidos, formada por el fútbol americano, el baloncesto y el béisbol, se ha mantenido intacta a lo largo de los años. Su práctica conlleva un modelo de vida que ha permitido a generaciones compartir casi idénticas experiencias: los varones participan en deportes de intensa competición y las muchachas forman clubes de *cheerleaders* (animadoras), que bailan y cantan durante los intermedios en el juego. Las ligas estudiantiles son seguidas con interés por los ciudadanos y los equipos profesionales, siempre con la vista puesta en la contratación de jugadores prometedores. "Sin embargo, ni todas están destinadas a ser animadoras ni todos a ser futbolistas. Este planteamiento excluye a la mayoría", explicó Graham, también ex director ejecutivo de Educación Física del gobierno de los Estados Unidos y autor de numerosas publicaciones sobre el tema. Estas tres disciplinas deportivas no sólo han logrado ilusionar y movilizar a este país durante décadas, sino que están asociadas a la vida estudiantil tanto o más que el popular baile de fin de curso. Sin ellas no existirían ni las populares "cheerleaders" (animadoras), ni las famosas competiciones, ni el espíritu de equipo que su práctica promueve y que tantas veces hemos visto reflejado en las películas americanas. Pero precisamente es ese componente de competición el que excluye a la mayoría de los escolares del sistema y, por ende, de una parte importante de la vida social durante la niñez y la adolescencia. Expertos en quinesiología abogan por un cambio hacia deportes que promuevan el "fitness" (bienestar/acondicionamiento físico) pero reduzcan el sentimiento de descoordinación que acompleja a tantos estudiantes y les reduce a una vida sedentaria. "La esperanza es que los estudiantes disfruten estas nuevas propuestas e, idealmente, las adopten de por vida", concluyo Graham.

escalada, *climbing*	promoviesen, *would promote*
dominados, *dominated, ruled*	trilogía, *trilogy*
quinesiología, *kinesiology*	conlleva, *implies*
epidemia, *epidemic*	planteamiento, *arrangement*
en paralelo, *alongside*	por ende, *consequently*
cifra, *figure*	abogan, *advocate*

1. El yoga, la escalada y el aeróbic
2. Se consideran una buena alternativa a los deportes tradicionales de equipo en los que sólo los más talentosos participan. Esto les permite a los demás estudiantes practicar otros deportes.
3. El sedentarismo
4. Durante años se ha practicado el fútbol, el baloncesto y el béisbol principalmente. Esto ha creado muchas generaciones en las que los chicos jugaban, las chicas animaban durante el juego, y los ciudadanos seguían los deportes. Este modelo ha excluido a la mayoría durante años.
5. Se desea que ganen confianza, que disfruten y que los sigan practicado de por vida.

19 Escriba

Las respuestas pueden variar.

20 Ensayo

Las respuestas pueden variar.

21 Ensayo

Las respuestas pueden variar.

22 ¿Cuál es la palabra?

1. cobertura; 2. competencia; 3. jonrón; 4. ocio; 5. zapatillas; 6. hidratáramos; 7. tajante; 8. la pelota vasca; 9. propuso; 10. el dominio

23 ¿Cuál es la palabra?

1. la portada; 2. venció; 3. marque; 4. arrebató; 5. el portero; 6. se disputaron; 7. agradecía; 8. otorgara; 9. acaudalados; 10. rotundo

24 ¿Qué palabra es?

1. arcilla; 2. gimnasia; 3. sobornar; 4. emocionante; 5. contundente; 6. lucha libre; 7. hierba; 8. bastar

25 Crucigrama

Las respuestas pueden variar.

26 Verbos con preposición

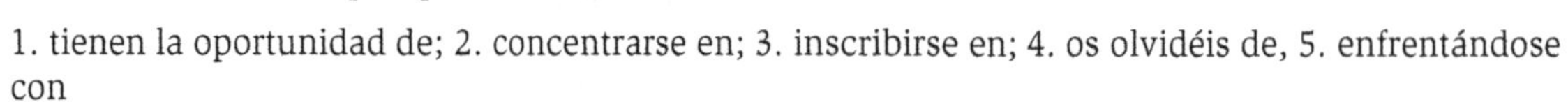

1. tienen la oportunidad de; 2. concentrarse en; 3. inscribirse en; 4. os olvidéis de, 5. enfrentándose con

Puro deporte Capítulo 6 Lección B

1 Verbos con preposición

Verbo	Preposición	Significado	Oración
acostumbrarse	a	*to get used to*	Dudo que me acostumbre a este clima.
1. arrepentirse	de	*to be sorry for*	*
2. parar	de	*to stop doing something*	
3. contar	con	*to count on*	
4. luchar	por	*to fight for*	
5. influir	en	*to have influence on*	
6. fijarse	en	*to notice*	
7. enamorarse	de	*to fall in love with*	
8. asustarse	de	*to be scared of*	
9. amenazar	con	*to threaten with*	
10. asistir	a	*to attend*	
11. acercarse	a	*to get close to*	
12. conformarse	con	*to be satisfied with*	
13. alegrarse	de	*to be glad to*	
14. olvidarse	de	*to forget*	
15. preguntar	por	*to ask about*	

**Respuestas en la cuarta columna pueden variar.*

2 Verbos con preposición

abusar de	dejar de	tener un efecto en
concentrarse en	empeñarse en	tratarse de
contar con	fijarse en	velar por
cumplir con	precipitarse en	

1. nos precipitemos en; 2. cuentes con; 3. ha tenido un efecto en; 4. me fijaría en; 5. me concentré en/ me he concentrado en; 6. se empeñara en; 7. he abusado de; 8. velaría por; 9. dejasteis de; 10. cumplió con

3 "Tapitas" gramaticales

Sección 1
1. por; 2. por; 3. por; 4. a; 5. que; 6. de; 7. a; 8. que; 9. que el; 10. es; 11. a; 12. por; 13. de; 14. que; 15. a; 16. a; 17. a; 18. en; 19. X; 20. de; 21. son
Sección 2
1. en; 2. que; 3. e; 4. para; 5. a; 6. es; 7. de; 8. el; 9. a; 10. es; 11. que
Sección 3
1. De; 2. para; 3. que; 4. de; 5. a; 6. Lo; 7. es; 8. por; 9. con; 10. X; 11. sino; 12. a; 13. gran; 14. el; 15. es

4 La voz pasiva

Voz activa: Unos ladrones profesionales robaron el banco.
Sujeto Vb OD

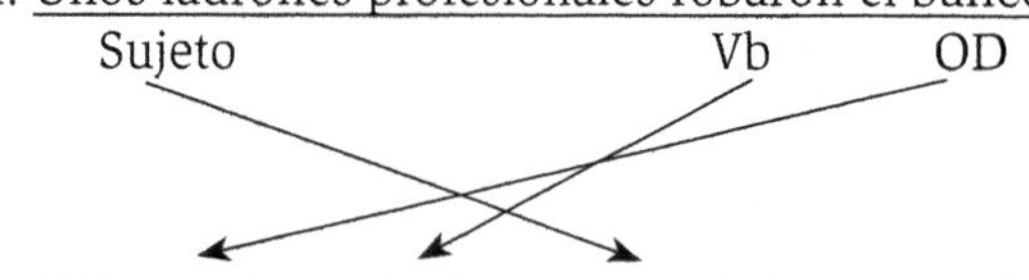

Voz pasiva: El banco fue robado **por** unos ladrones profesionales.
Sujeto Vb Agente

5 La voz pasiva 

1. a. El estadio ya fue diseñado por el arquitecto Ruiz.
   b. Ya se diseñó el estadio.
2. a. El problema fue resuelto de inmediato por sus padres.
   b. Se resolvió el problema de inmediato.
3. a. Las vacaciones serán tomadas por la mayoría de los empleados.
   b. Se tomarán las vacaciones.
4. a. Mis padres dudan que un OVNI haya sido visto por los habitantes de la aldea.
   b. Mis padres dudan que se haya visto un OVNI.
5. a. Todas las entradas fueron devueltas a los asistentes por los agentes de ventas.
   b. Se les devolvieron a los asistentes todas las entradas.
6. a. Sólo los mayores de edad están permitidos por la ciudad participar en deportes extremos.
   b. Se permite que sólo los mayores de edad participen en deportes extremos.

6 Presente progresivo 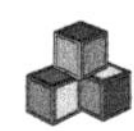

1. sigan entrevistándolas/las sigan entregando; 2. sigue haciendo; 3. se esté durmiendo; 4. continúa entrenándose; 5. estéis logrando; 6. se estén marchando/estén marchandose; 7. lleven esperando; 8. se va dañando; 9. está durmiendo; 10. se está vistiendo/está vistiendose

7 Familia de palabras 

1. contradiciendo, contradictorias, una contradicción; 2. competidor, la competición, competición; 3. fue juzgado, juez, el juicio

8 Adverbios 

1. seriamente, amablemente, débilmente
2. Si el adjetivo termina en *o*, se sustituye la *a* por la *o* y se añade *-mente*. Si termina en *e*, sólo se añade *-mente*.

9 ¿Qué significa? 

1. completely, 2. extremely, 3. extremely, 4. totally, 5. truly
Las oraciones pueden variar.

10 Frases adverbiales

adjetivo	adverbio	frase adverbial
1. cariñoso	cariñosamente	con cariño
2. alegre	alegremente	con alegría
3. leal	lealmente	con lealtad
4. fuerte	fuertemente	con fuerza
5. triste	tristemente	con tristeza
6. claro	claramente	con claridad
7. responsable	responsablemente	con responsabilidad
8. franco	francamente	con franqueza
9. honrado	honradamente	con honradez
10. hábil	hábilmente	con habilidad
11. orgulloso	orgullosamente	con orgullo
12. cuidadoso	cuidadosamente	con cuidado
13. espontáneo	espontáneamente	con espontaneidad

11 Antes de leer 

Las respuestas pueden variar.

13 ¿Ha comprendido?

1. d; 2. d; 3. b; 4. c

14 ¿Dónde va? 

1. B; 2. frase extra; 3. A; 4. frase extra; 5. C

15 ¿Qué significa? 

1. c; 2. d; 3. f; 4. b; 5. e; 6. a; 7. g

16 Escriba 

Las respuestas pueden variar.

17 Se titula...

Las respuestas pueden variar.

18 Colombia buscará la sede de la Copa Mundial  (CD 2, pista 4)

El presidente Álvaro Uribe dijo que Colombia gestionará la posibilidad de servir en el futuro como sede de una Copa Mundial de fútbol, oportunidad a la que renunció en una ocasión. Uribe anunció el sábado por la noche, durante la ceremonia inaugural de los Juegos Centroamericanos y del Caribe, que se planteará la gestión ante la FIFA, aunque no especificó a qué mundial se refería.

El del 2014, que le tocaría a Sudamérica por la política de rotación regional de la FIFA, está en la mira de Brasil. El presidente de la FIFA, Joseph Blatter, dijo durante el mundial de Alemania que Brasil sería la sede ideal de la copa del 2014, aunque señaló que tiene que demostrar que está preparada para ser anfitriona. "Sólo si cumplen con todas las especificaciones que se requieren para ser sede de una Copa Mundial, entonces el comité ejecutivo de la FIFA tomará la decisión correspondiente", manifestó Blatter.

Colombia obtuvo la sede del mundial de 1986, pero el entonces mandatario, Belisario Betancur, argumentó motivos económicos para renunciar a la organización. El torneo se realizó finalmente en México y con gran éxito. "El señor vicepresidente de Colombia, Francisco Santos Calderón, emprenderá, en nombre de todos los colombianos, la gestión para obtener para Colombia una sede del campeonato mundial. La patria lo hará y lo hará bien", enfatizó Uribe. Uribe señaló como ejemplo del empuje de Colombia para encarar grandes compromisos la realización de los Juegos Centroamericanos y del Caribe con la presencia de más de 7.000 deportistas de 32 países. "Destaco tres cosas: Primero, las obras para los Centroamericanos han estado bien para el día que se necesitaba. Segundo, la ciudad, el departamento, la nación, todos aportaron sin egoísmo. Tercero, se han construido con transparencia", destacó. Colombia, que en el 2001 fue sede de la Copa América, posee buenos estadios en varias ciudades, entre ellas Bogotá, Barranquilla, Medellín y Cali, así como en Manizales, Pereira y Armenia, en su eje cafetero.

gestionará, *will negotiate*
sede, *headquarters*
anfitriona, *host (hostess)*
torneo, *tournament*
torneo, *tournament*
enfatizó, *emphasized*
destacó, *laid emphasis on*
eje, *axis*

Las respuestas pueden variar.

19 Un Dicho de George Bernard Shaw

Las respuestas pueden variar.

20 Tema de discusión 

Las respuestas pueden variar.

21 ¿Cuál es la palabra? 

1. empate; 2. marcas; 3. minusvalía; 4. juzgue; 5. apoyaran; 6. ha toreado; 7. el castigo; 8. el ámbito; 9. sobornando; 10. brindan

22 ¿Cuál es la palabra? 

1. asimismo; 2. premio; 3. el respaldo; 4. ha dado pie a; 5. los demás; 6. empeño; 7. entrará en vigor; 8. cansancio; 9. perduraría; 10. la trayectoria

23 Crucigrama 

Las respuestas pueden variar.

24 ¿Qué palabra es? 

1. culturista; 2. polémica; 3. dopaje; 4. disminuir; 5. aliviar; 6. fracaso; 7. receta; 8. disponible

¡Conéctese a su mundo! Capítulo 7 Lección A

1 El pasado 

1. hubiera estudiado/hubiese estudiado; 2. habría aprobado/hubiese aprobado; 3. tuvo; 4. se aplicó; 5. hizo; 6. había dicho/dijo; 7. fue; 8. estuvo; 9. se divirtieron; 10. se acostaron; 11. durmieron; 12. estaban; 13. decidieron; 14. ir; 15. se zambulleron; 16. tuviera; 17. se acordasen/se acordaran; 18. interesaron; 19. leyó; 20. había; 21. recomendado; 22. supo; 23. estuvo; 24. haciendo; 25. riñó; 26. supiera; 27. iba; 28. sacar; 29. se hicieron; 30. fue; 31. había predicho/predijo

2 Comparativos y superlativos 

1. más; 2. que; 3. las; 4. más; 5. mejores; 6. que; 7. peores; 8. que; 9. más; 10. menos; 11. peor; 12. más; 13. mayor; 14. que; 15. más; 16. que; 17. mejor; 18. tantas; 19. como; 20. menor; 21. que

3 Palabras que terminan en -quiera 

1.quienesquieran, sean; 2. adondequiera, vaya; 3. quienquiera, tenga; 4. comoquiera, pidas; 5. dondequiera, este

4 El uso del indicativo y del subjuntivo 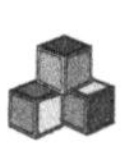

Las respuestas incluyen: presente del indicativo (6 ó 7verbos), futuro del indicativo (2 ó 3 verbos), condicional (1 verbo), gerundio (1 verbo), presente del subjuntivo (3 verbos), imperfecto del subjuntivo (1 verbo).

1. son; 2. sepa; 3. viendo; 4. están; 5. forman; 6. crezcan; 7. Hay; 8. logran; 9. coinciden; 10. producirá; 11. afectará; 12 pudiéramos; 13. salvaríamos; 14. siga; 15. tendremos/tenemos

5 Familia de palabras 

1. inventor, invento, inventó; 2. educador, educado, educación; 3. computadoras, computados

6 El género y el número del sustantivo 

1. X; 2. el; 3. el; 4. la; 5. el; 6. los; 7. una; 8. los; 9. un; 10. la; 11. la; 12. X; 13. la; 14. un; 15. el; 16. la; 17. el; 18. una; 19. las; 20. el

7 ¿Por o para? 

1. para; 2. por; 3. Para; 4. Por; 5. Por; 6. para; 7. para; 8. por; 9. para; 10. Por; 11. Para; 12. por; 13. por; 14. por; 15. Por; 16. por; 17. Por; 18. por; 19. Por; 20. Por

8 Antes de leer 

Las respuestas pueden variar.

10 ¿Ha comprendido?

1. c; 2. c; 3. a; 4. c; 5. a

11 ¿Dónde va? 

1. C; 2. frase extra; 3. A; 4. D; 5. B; 6. E

12 ¿Qué significa?

Las respuestas pueden variar.

13 ¿Qué significa? 

1. d; 2. a; 3. g; 4. e; 5. b; 6. f; 7. c

14 ¿Ha comprendido?

Las respuestas pueden variar.

15 Escriba 

Las respuestas pueden variar.

16 Se titula...

Las respuestas pueden variar.

17 Una vida extra  (CD 2, pista 5)

¡A comprarlo todo!

La gran evolución de Second Life frente a otras herramientas similares es que aquí existe una moneda propia, el "Linden Dollar". Para conseguirla, el jugador tiene que gastar una pequeña cantidad de dinero real, pero una vez que la tiene en su poder puede dedicarse a comprar todo tipo de objetos virtuales (casas, coches, ropa e incluso realistas pieles), y hasta objetos no virtuales, ya que en Second Life operan y se anuncian numerosas tiendas de ropa real y de música que envían las compras al domicilio del mundo exterior.

Según la revista británica *The Economist*, este año se producirán doscientas mil transacciones económicas reales en este cibermundillo. Eso da a este "país" un PIB de 60 millones de dólares reales, una cifra nada despreciable.

Harvard, Standford, Adidas, Reebok, la NASA, Nissan, la agencia de noticias Reuters, son algunas empresas que ya trabajan en este mundo virtual y tienen grandes edificios donde muestran sus productos. Sólo pueden ser visitados fabricándose un personaje e internándose en Second Life. La última en apuntarse ha sido IBM, que pretende incorporar el sistema a su intranet para que los trabajadores, que están repartidos por el planeta, puedan reunirse en "oficinas virtuales". Como afirma Enrique Dans, profesor del Instituto de Empresa, Second Life está dejando de ser un asunto exclusivamente "friki", para ser aceptado por los ejecutivos como algo muy útil, y también muy "cool". Para ser alguien, tu personaje tiene que salir en las páginas de *Slate Magazine*, revista sobre los famosos de esta sociedad virtual.

Volar para ir a comprar

Ir de *shopping* o levitar sobre paisajes de ensueño. Otro de los atractivos de Second Life es que en este mundo convive lo más banal con mundos de ensueño formados por cascadas, casas en los árboles y lujosos palacios. Aunque inicialmente Second Life no concedió demasiadas licencias a la ficción, con el tiempo la situación ha cambiado, y hoy los jugadores pueden volar y teletransportarse. Pero en tierra, los lugares más frecuentados son los centros comerciales, y existen incluso sucursales virtuales de tiendas muy populares. Los jugadores pasan horas comprando y vendiendo todo tipo de objetos, especialmente aquellos que tienen que ver con la ropa y las caracterizaciones de los personajes. Un traje sencillo de chaqueta y corbata cuesta unos 300 Lindens (un euro), y en algunas ocasiones, si el diseñador es popular y el objeto tiene partes en movimiento (las faldas), puede llegar a alcanzar los 2.000 Lindens. Dentro de Second Life existen verdaderos adictos al estilismo del mundo virtual, lo que hace que algunos personajes lleguen a ser muy realistas. No en vano, la mayoría de los habitantes de este mundo parecen *top models*.

similares, *similar*
moneda, *currency*
dedicarse, *dedicate himself/herself*
cibermundillo, *little cyber-world*
despreciable, *negligible*
apuntarse, *sign its name*
"friki", *term used to refer to a person interested or obsessed with at least one theme or hobby (it is, of course, the Spanish adaptation of the English word "freaky")*
de ensueño, *dreamlike*
banal, *trivial*
sucursales, *branches*
sencillo, *simple, plain*
No en vano, *not in vain*

1. Necesita comprarla con dinero real aunque recibirá una cantidad mayor de dinero imaginario.
2. Para comprar objetos virtuales o incluso reales que le serán enviados a sus casas
3. Lo hacen para promocionar y vender sus productos. Hay otras, como IBM, que lo hacen para permitir que sus empleados puedan reunirse en un lugar virtual.
4. Sí, pero para ello debe salir en la revista *Slate Magazine*.
5. *Es un mundo de ensueño, con muchas plantas verdes, cascadas, e incluso castillos. (Puede haber respuestas más elaboradas.)*
6. *Generalmente ropa y objetos que ayuden a caracterizar a sus personajes*

18 ¡A presentar! 

Las repuestas pueden variar.

19 ¿Cuál es la palabra?

1. inalámbrica; 2. oferta; 3. calentamiento global; 4. hidratado; 5. bienestar; 6. las letras pequeñas; 7. descargar; 8. Un maremoto; 9. portátil; 10. deterioro

20 ¿Cuál es la palabra? 

1. dominio; 2. desapercibidas; 3. descaro; 4. invernadero; 5. vivaces; 6. desechables; 7. agua dulce; 8. cronológico; 9. aleatorios; 10. mediante; 11. y 12. *Las respuestas pueden variar.*

21 ¿Qué palabra es?

1. invento; 2. cuenca; 3. teléfono móvil; 4. insuperable; 5. convenio; 6. cobijo; 7. talar; 8. programa buscador; 9. mundialmente; 10. proponer; 11. seguidamente; 12. nocivo; 13. retroceso; 14. pujante; 15. esperanza de vida

22 Crucigrama

Las respuestas pueden variar.

23 Falsos cognados y palabras problemáticas

1. a; 2. b; 3. a; 4. a; 5. b; 6. b; 7. a; 8. a; 9. a; 10. b

¡Conéctese a su mundo! Capítulo 7 Lección B

1 ¿Indicativo o subjuntivo? 

1. preocupaba; 2. desconocía; 3. era; 4. hubiera sabido; 5. habría concienciado/hubiese concienciado; 6. haya; 7. importen; 8. hacemos; 9. llegue; 10. sería/es; 11. empezar; 12. hacer; 13. debemos/deberíamos; 14. vamos; 15. hay; 16. hagamos; 17. tuviéramos; 18. ayudaríamos; 19. preservando; 20. hecho; 21. surgieron; 22. tenían/tuvieron; 23. concienciar; 24. tendría; 25. se convirtieron; 26. obtuvieron; 27. fue; 28. llegáramos; 29. hemos alcanzado; 30. sigamos; 31. pudiendo; 32. garantizar; 33. desfallezcamos; 34. mantener; 35. merezca

2 ¿Infinitivo, gerundio o participio? 

1. Nadar; 2. escribiendo; 3. concienciar; 4. comer; 5. levantado; 6. cantar; 7. ver; 8. alcanzando; 9. puesto; 10. terminar; 11. abrir; 12. Manejar; 13. aprendiendo; 14. sirviendo; 15. muerto

3 "Tapitas" gramaticales 

1. por qué; 2. Por; 3. para que; 4. para; 5. Para qué; 6. para; 7. Por; 8. Por qué; 9. para que; 10. porque; 11. Por; 12. Por qué; 13. para; 14. para que; 15. por

4 ¿Adjetivo demostrativo o pronombre demostrativo? 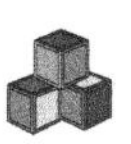

1. ésta; 2. aquella; 3. aquéllos/ésos; 4. Esto/Eso; 5. estos; 6. estos; 7. éste; 8. Esta; 9. Aquellos; 10. ése/aquél

5 ¿Participio pasado o gerundio? 

1. vuelto; 2. leyendo; 3. abierto; 4. diciendo; 5. haciendo; 6. cubiertas; 7. yendo; 8. escrita; 9. impuesto; 10. absuelto; 11. durmiendo/dormido; 12. roto; 13. sintiéndose; 14. hecha; 15. viniendo

6 ¿Lo o lo que? 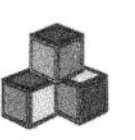

Posibles respuestas:

1. ¡Dime lo que sabes sobre la contaminación del aire!
2. Lo que es necesario saber para el examen de historia mañana son muchos datos.
3. Vamos a terminar el proyecto lo antes posible. La profesora se va a casa y no va a aceptarlo después.
4. Lo que nos enseñan los videojuegos sobre el aprendizaje y el analfabetismo es que ni enseñan a escribir ni educan a los niños.
5. He leído lo que tiene el libro sobre el subjuntivo y todavía me causa problemas.
6. Tengo miedo por lo peligroso que es andar por este callejón de noche.
7. Este disco compacto tiene lo mejor de Cristina Aguilera.
8. En el cine, lo más importante es apagar su celular. El timbrazo molesta a mucha gente.
9. No me gusta lo violenta que es esta película.

7 Familia de palabras 

1. solicitud, solicitó, solicitado; 2. aislamiento, aísle, aislados; 3. amenazas, amenazó, amenazado

8 Adverbios 

1. fácilmente; 2. constantemente; 3. cuidadosamente; 4. cortésmente; 5. clara y dulcemente; 6. bien; 7. lenta y detalladamente

9 Antes de leer

Las respuestas pueden variar.

11 ¿Ha comprendido?

1. b; 2. c; 3. d; 4. c; 5. a; 6. d

12 ¿Dónde va?

1. C; 2. frase extra; 3. E; 4. F; 5. A; 6. D; 7. frase extra; 8. B

13 ¿Qué significa?

Posibles respuestas:

1. bocadillo, sándwich
2. fritura de huevo batido, a la cual se pueden añadir otros alimentos
3. información que ayuda a resolver un problema
4. mirar rápidamente
5. comienzo abrupto de síntomas
6. falta de ejercicio en la rutina diaria
7. boleto de papel; en este caso se refiere a una participación en un sorteo
8. lesiones en el área donde un insecto ha roto la integridad de la piel de algún modo
9. para hablar con precisión
10. arrogancia, vanidad, exceso de autoestima.

14 ¿Qué significa?

1. f; 2. j; 3. a; 4. g; 5. i; 6. b; 7. d; 8. c; 9. h; 10. e

15 ¿Ha comprendido?

1. y 2. *Las respuestas pueden variar.*
3. Es un error del sistema inmunitario que Indetifica como nocivas sustancias que en realidad son inocuas.
4. *Las respuestas pueden variar.*

16 Escriba

Las respuestas pueden variar.

17 Se titula…

Las respuestas pueden variar.

18 Sin rastro (CD 2, pista 6)

A pesar de todos los descubrimientos que hace el hombre constantemente, no deja de haber misterios en el mundo que nos rodea que nos cuesta solucionar, o que nunca llegamos a resolver. Ejércitos, tripulaciones de barcos, ciudades enteras y hasta millones de abejas americanas han desaparecido de forma inexplicable. ¿Quieres seguirles la pista?

¿Alguien sabe dónde están?

Cada año desaparece un millón de personas en la Unión Europea y EE.UU., y de un 15% de ellas nunca vuelve a saberse nada. Y la lista no sólo incluye a individuos anónimos, sino también a celebridades. Por otro lado, las colmenas americanas se están quedando vacías. Los machos huyen de sus colonias y dejan solas a la reina y a algunas hembras jóvenes. Los primeros en descubrirlo fueron los apicultores de Florida a mediados de enero. Luego, el extraño fenómeno se extendió a otros 35 estados norteamericanos. Se calcula que ya han desaparecido varios millones de ejemplares, y nadie sabe dónde están. Ni siquiera se puede concretar si están vivas o muertas, ya que tampoco han aparecido sus restos.

Este comportamiento ha sido bautizado como "desorden del colapso de la colonia", pero nadie sabe a ciencia cierta cuáles son sus causas. Aunque no es la primera vez que sucede: en el año 2005 ya se produjo una "epidemia" de fugas similar en varios países europeos, entre ellos España. Entonces se pensó que podía deberse a la acción de un parásito de origen asiático llamado Ceranae, pero no se encontraron pruebas concluyentes. El misterio, por tanto, permanece, aunque los científicos están convencidos de que acabarán desvelándolo.

sin rastro, *without a trace*
rodea, *surrounds*
tripulaciones, *crews*
inexplicable, *inexplicable*
seguirles la pista, *follow their tracks*
vuelve a saberse nada, *is ever known again*
celebridades, *celebrities*
colmenas, *hives*
machos, *males*
hembras, *females*
apicultores, *apiculturists*
a mediados, *in the middle*
ejemplares, *specimens*
sabe a ciencia cierta, *knows with complete certainty*
sucede, *it happens*
fugas, *escapes, flights*
desvelándolo, *uncovering it*

800 hombres perdidos en un bosque

Lo que seguramente ya nadie podrá resolver de forma definitiva son los numerosos casos de desapariciones masivas de seres humanos que se han producido a lo largo de la historia. Desde tripulaciones de barcos hasta poblaciones completas parecen haberse desvanecido sin dejar rastro. Son enigmas que aún traen de cabeza a los historiadores e investigadores que todavía tratan, por ejemplo, de explicar cómo en 1915 pudieron "esfumarse" más de ochocientos soldados durante la campaña para conquistar la península turca de Gallípoli, en la Primera Guerra Mundial. El 5° Batallón del Regimiento británico de Norfolk recibió la orden de cargar contra una colina tomada por los turcos. Se trataba de una misión prácticamente suicida, ya que, para llegar a su objetivo, los soldados tenían que cruzar un pequeño bosque y luego salir a un terreno descubierto, donde podían ser masacrados por el enemigo. El ataque se inició a primera hora del día. Los 816 hombres avanzaron con las bayonetas caladas, se internaron en el bosque pero... Los turcos siguieron en sus posiciones y no volvió a haber la más mínima señal de los ingleses.

Terminada la guerra, el Gobierno británico hizo indagaciones para saber si sus hombres habían sido capturados, pero los turcos lo negaron. Parecía como si la tierra se los hubiera tragado. El misterio no se resolvió hasta 1951, y sólo de forma parcial.

Un veterano de guerra, el capitán Charles McLowry, conoció en Estambul a un anciano turco que le contó cómo había enterrado en un bosque de Gallípoli los cadáveres de varios británicos, junto con restos del equipo militar. El oficial organizó una expedición para excavar en la zona y encontró una fosa con los restos de tres cuerpos y casi un centenar de uniformes convertidos en harapos.

Quizá nunca sepamos lo que sucedió con exactitud, pero a la luz de aquel descubrimiento, los historiadores han elaborado una teoría bastante posible: La batalla de Gallípoli fue una carnicería atroz. Es probable que los hombres del batallón perdido no estuvieran dispuestos a dejarse llevar al matadero, que se rebelaran y mataran a algunos oficiales; y que, tras deshacerse de sus uniformes, desertaran. Aún buscan su pista. Igual que la de los tres habitantes de la isla escocesa de Eilean Moore, escenario de uno de los enigmas más célebres del siglo XX.

resolver, *to solve*	suicida, *suicidal*	centenar, *one hundred*
masivas, *massive*	a primera hora del día, *in the wee hours of the morning*	harapos, *rags*
desvanecido, *vanished*	masacrados, *massacred*	carnicería, *carnage*
traen de cabeza, *are baffling*	tragado, *swallowed*	estuvieran dispuestos, *would be willing*
esfumarse, *disappear*	parcial, *partial*	desertaran, *would have deserted*
conquistar, *to conquer*	cadáveres, *corpses*	
Regimiento, *regiment*	fosa, *grave*	
misión, *mission*		

Poblaciones abandonadas

Lo que ya no es tan frecuente es que poblaciones y aldeas enteras desaparezcan de forma inexplicable. De hecho, sólo se conocen dos casos bien documentados. El primero se remonta a 1591, año en que el pirata Walter Raleigh instauró la primera colonia británica en América, en la isla de Roanoke, cerca de la actual Virginia. Se trataba de un asentamiento formado por doscientas personas, hombres y mujeres. Pero cuando Raleigh regresó, dos años después, no encontró ni rastro de los colonos.

Los historiadores han especulado con todo tipo de posibilidades. Desde que fueran asesinados por los indios hasta que un tsunami barriera la aldea. Pero la hipótesis más llamativa surgió en el siglo XVIII, cuando unos exploradores franceses descubrieron una peculiar tribu india: los *lumbees*, ojizarcos para los españoles. Muchos de ellos tenían los ojos claros y la piel casi blanca, lo que hizo creer que los habitantes de Roanoke abandonaron la isla, llegaron al continente y acabaron mezclándose con los *lumbees*. Tal vez fue así... o tal vez no. Los análisis de ADN realizados a varios descendientes de esos pieles rojas no sirvieron de mucho, ya que no existen muestras genéticas de los colonos desaparecidos que puedan compararse con las de los indios.

Lo que realmente sucedió en Roanoke sigue siendo un enigma, aunque no resulta ni la mitad de inquietante y estremecedor que otro suceso acaecido en Canadá, en 1930. A finales de la primavera de ese año, un trampero llamado John LeBelle se dirigió hacia el poblado esquimal de Angikuni para vender sus pieles. Pero cuando lo avistó, no apreció señales de vida.

El cazador registró las cabañas de los nativos. Sus armas y sus pertenencias estaban intactas, pero no encontró a nadie. Alarmado, avisó a las autoridades, que rastrearon la zona y encontraron algo aterrador: los perros de la tribu habían sido sacrificados y enterrados en una fosa común cerca al campamento. Pero de sus pobladores humanos no apareció la más mínima señal.

Actualmente, el misterio sigue sin ser resuelto. Una hipótesis la planteó el criminólogo Colin Wilson en su libro *La mente inadaptada*: la posibilidad de que los inuits hubieran sido víctimas de un ataque de locura colectiva provocada por algún suceso que para ellos fuera inexplicable (como la caída de un meteoro). La superstición podría haber desatado una histeria colectiva que les empujara a dirigirse (tal vez) hacia el mar para cometer un suicidio ritual en masa.

Si tenemos en cuenta que en los albores del año 1000 el temor a un inminente e inevitable fin del mundo provocó, al parecer, sucesos similares, tal vez esa teoría no resulte demasiado descabellada.

aldeas, *villages*	pertenencias, *belongings*
de forma inexplicable, *inexplicably*	intactas, *intact*
se remonta a, *goes back to*	Alarmado, *alarmed*
asentamiento, *settlement*	avisó a, *informed*
barriera, *would have swept*	rastrearon, *investigated*
ADN, *DNA* (ácido desoxirribonucléico)	aterrador, *terrifying*
descendientes, *descendants*	fosa, *grave*
pieles rojas, *red skins (antiquated term used to refer to the Native American peoples)*	resuelto, *resolved*
inquietante, *disturbing*	empujara, *drove*
estremecedor, *shocking*	en masa, *en masse*
señales de vida, *signs of life*	albores, *dawn, beginning*
registró, *inspected*	inminente, *imminent*
armas, *weapons*	inevitable, *unavoidable*
	descabellada, *absurd, preposterous*

Posibles respuestas:

1. Desaparecieron sin dejar rastro.
2. Todavía no se sabe lo que les sucedió. No se sabe si murieron o no, pues simplemente desaparecieron. No las vieron por ningún lado ni vivas ni muertas.
3. Desaparecieron los machos.
4. Muchas colmenas desaparecerán al no haber machos.
5. Se mencionan las desapariciones de ejércitos, tripulaciones de barcos y las de poblaciones enteras.
6. En el 1915, cuando fueron a luchar contra los turcos
7. No se sabe con certeza, pero se piensa que al ser enviados a luchar en una batalla en la que iban a morir todos, los soldados se rebelaron, mataron a algunos de los oficiales, y huyeron.
8. Desaparecieron unas doscientas. En 1593 (dos años después de su fundación)
9. No se sabe con certeza. Hay varias hipótesis. Años más tarde, en el continente, se encontró una tribu de indígenas que tenían la piel blanca y los ojos claros. Se cree que los colonos de Roanoke pudieron haber ido al continente americano y haber terminado mezclándose con los indígenas.
10. Un cazador (John LeBelle) cuando fue a vender unas pieles
11. El hecho de que todo estaba intacto. Todas sus pertenencias estaban allí y los perros habían sido sacrificados y enterrados en una fosa.
12. Se cree que algo inexplicable para ellos ocurrió, como la caída de un meteoro, lo que pudo haber provocado un suicidio colectivo debido a alguna antigua creencia de los esquimales.

19 Escriba una historia corta 

Las respuestas pueden variar.

20 ¡A conversar! 

Las respuestas pueden variar.

21 Amplíe su vocabulario 

1. b; 2. b; 3. a; 4. d; 5. a; 6. d; 7. b; 8. d; 9. d; 10. c

22 ¿Cuál es la palabra?

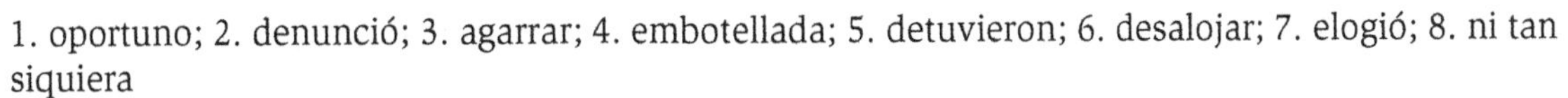

1. oportuno; 2. denunció; 3. agarrar; 4. embotellada; 5. detuvieron; 6. desalojar; 7. elogió; 8. ni tan siquiera

23 ¿Qué palabra es?

1. lujo; 2. dañino; 3. manejar; 4. internauta; 5. multar; 6. padecer; 7. eficaz; 8. ortografía; 9. rechazar; 10. albacora

24 Crucigrama 

Las respuestas pueden variar.

25 Falsos cognados y palabras problemáticas

1. b; 2. a; 3. b; 4. a; 5. a; 6. a; 7. b

Festival de Arte Capítulo 8 Lección A

1 Condicional 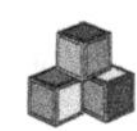

1. tendría - Se indica el resultado probable de una acción anterior.
2. harías - Se hace una conjetura sobre un hecho.
3. iríamos - Frase condicional con "*si*"
4. podría - Forma de cortesía
5. tendría - Frase condicional con "*si*"
6. sería - Se hace una conjetura sobre un hecho pasado.
7. estaríamos - Se explica la causa probable de un hecho.
8. diría - Se expresa una conjetura sobre un hecho futuro.
9. terminaría - Se indica una probabilidad.
10. iríamos - Frase condicional con "*si*"

2 Artículos definidos 

1. el; 2. El; 3. El; 4. El, la; 5. la; 6. la, el; 7. la, el; 8. los; 9. el, la; 10. El, la; 11. las; 12. La; 13. la, la; 14. Las, el; 15. la; 16. El/la; 17. el; 18. La; 19. los; 20. los, las

3 ¿Indicativo o subjuntivo? 

1. son; 2. estar; 3. obtendrán; 4. es; 5. cuestan; 6. se sienten; 7. presionados; 8. fueran/fuesen; 9. ser; 10. disminuirían; 11. quieren; 12. recurrir; 13. traído; 14. llamado; 15. son; 16. se embarquen; 17. hecho; 18. haya; 19. se acerque; 20. sean; 21. era; 22. pudieran/pudiesen; 23. se debe; 24. filmar; 25. han reducido/reducen; 26. Hay; 27 empezando; 28. tienen; 29. especializados; 30. se han convertido; 31. garantizando; 32. sueñan; 33. generarán; 34. continúe; 35. teniendo

4 Imperfecto del subjuntivo 

1. fueras; 2. pusiera; 3. comprendiera; 4. leyeran; 5. oyera; 6. vieran; 7. pudieras/pudiera; 8. supiera; 9. fuera; 10. pagara

5 Los números ordinales

1. décimo; 2. séptimo; 3. vigésimo; 4. primer; 5. quinto; 6. octavo; 7. segundo; 8. tercer; 9. cuarta; 10. novena

6 ¿Ser o estar? 

1. es; 2. Era; 3. era; 4. estaban; 5. estaba/está*; 6. fue; 7. fueron; 8. fue; 9. estaba; 10. estaba; 11. estaba; 12. era; 13. ser; 14. fue; 15. estaba; 16. fue; 17. es; 18. estaría; 19. ser; 20. ha sido/es
* Podría admitirse el presente, ya que la escuela todavía existe.

7 Familia de palabras 

1. enfoque, enfocó, enfocada; 2. cantantes, cante, cantaba; 3. rota, ruptura, romper

8 Antes de leer 

Las respuestas pueden variar.

10 ¿Ha comprendido?

1. c; 2. d; 3. b; 4. a; 5. b; 6. c

11 ¿Dónde va?

1. frase extra; 2. C; 3. B; 4. E; 5. F; 6. frase extra; 7. A; 8. D

12 ¿Qué significa?

Posibles respuestas:

1. distribución consecutiva de los elementos de un conjunto
2. dominar, destacarse
3. conjunto de países donde se habla español
4. vehículo de comunicación capaz de contactar a cantidades enormes de personas
5. en enorme cantidad
6. que ocurre en la época presente
7. fase de máximo desarrollo o apogeo, edad de oro
8. de intensa, expresiva y original personalidad
9. acto de seleccionar materiales para prohibir su publicación o exhibición en medios de comunicación
10. entretenimiento o diversión

13 ¿Qué significa? 

1. h; 2. f; 3. j; 4. b; 5. a; 6. d; 7. c; 8. i; 9. e; 10. g

14 ¿Ha comprendido?

Las respuestas pueden variar.

15 Escriba 

Las respuestas pueden variar.

16 Se titula...

Las respuestas pueden variar.

17 Frida Kahlo 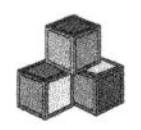

1. b; 2. d; 3. a; 4. d; 5. c; 6. d; 7. b; 8. a; 9. c; 10. c; 11. a; 12. b; 13. d; 14. d; 15. b; 16. c; 17. a; 18. b; 19. a; 20. c; 21. d; 22. a; 23. a; 24. c; 25. c

18 Las bellas artes  (CD 2, pista 7)

Charles Batteaux (1474) fue el inventor del término "bellas artes", que aplicó originalmente a la danza, la floricultura, la escultura, la música, la pintura y la poesía, añadiendo posteriormente la arquitectura y la elocuencia. Posteriormente, la lista sufriría cambios según los distintos autores que añadirían o quitarían artes a esta lista. Ricciotto Canudo fue el primero en calificar al cine como el séptimo arte en 1911. Actualmente se suele considerar la siguiente lista: las seis primeras son arquitectura, danza, escultura, música, pintura y poesía (literatura), según la clasificación usada en la antigua Grecia. El séptimo es la cinematografía. La octava es la fotografía, aunque se alega que es una extensión de la pintura. La novena es la historieta, aunque se alega que es un puente entre la pintura y el cine. Algunos consideran otras artes en la lista, como la televisión, la moda, la publicidad o los videojuegos.

Cortometraje

Un cortometraje es una producción audiovisual o cinematográfica que dura mucho menos que el tiempo medio de una película de producción normal. Si bien no existe una norma estricta, una posible clasificación por tiempo podría hacerse de este modo: la duración de los cortometrajes va desde menos de un minuto hasta 30 minutos. Las películas de entre 30 y 60 minutos son mediometrajes. A partir de una hora de duración se les considera largometrajes. Los géneros de los cortometrajes abarcan los mismos que los de las producciones de mayor duración, pero debido a su coste menor se suelen usar para tratar temas menos comerciales o en los que el autor tiene más libertad creativa. Muchos jóvenes creadores usan estos para dar sus primeros pasos en la industria cinematográfica y bastantes directores de cine consagrados hoy en día comenzaron con estas producciones. Probablemente el cortometraje más famoso de la historia sea "Un perro andaluz", escrito y dirigido por dos jóvenes que por entonces aún no habían alcanzado la fama: Luis Buñuel y Salvador Dalí. En la actualidad, las nuevas tecnologías digitales han hecho más barata su producción y la han hecho posible para los amateurs. Todo esto ha supuesto una revolución en el mundo del cortometraje, en el que los jóvenes realizadores pueden comenzar eludiendo los grandes gastos que hasta ahora suponía la realización de estas pequeñas obras. La realización de cortometrajes prolifera de forma eminentemente autodidacta puesto que no es un género definido en el que existan reglas establecidas. Uno de los grandes problemas a los que se enfrentan los cortometrajistas es la ausencia de un mercado definido para estas obras. Aún hay pocas exhibiciones comerciales de cortometrajes pese a que, por otro lado, y paralelamente, los concursos y certámenes de este género proliferan cada año. Internet está suponiendo cada vez más una plataforma de difusión del cortometraje.

Videoarte

Se entiende por videoarte la utilización de medios electrónicos (analógicos o digitales) con un fin artístico. En 1959, en Colonia, a Wolf Vostell se le reconoció el mérito de montar una exposición de contenidos de la televisión que habían sido alterados, evidenciando la tensa relación entre televisión y arte. Esta exposición es lo que más tarde se conocería como vídeo-exposición. Una de las diferencias entre el videoarte y el cine es que el videoarte no necesariamente cumple con las convenciones del cine. El videoarte puede no emplear actores o diálogos y puede no tener una narrativa o guión ni otras convenciones que generalmente definen a las películas como entretenimiento. Los cineastas buscaron alternativas más económicas a la producción tradicional en el cine; de esta forma surge el video, como propuesta más enfocada a personas que rompen con los parámetros comerciales y buscan un medio más económico, pero no por este motivo con menos valor, que las formas tradicionales de producción. El videoarte ha incidido en la producción de cortometrajes principalmente, su estética apenas se está construyendo con base en ensayo y error y con las enormes posibilidades que brinda el soporte magnético. Una de las principales diferencias del videoarte, en relación a otras disciplinas visuales, es que éste no requiere de una historia y que el fondo es meramente interpretativo; lo importante son las formas, el simbolismo y la manera en la cual se muestra.

escultura, *sculpture*
añadiendo, *adding*
se alega, *it is alleged*
la historieta, *the comic strip*
cortometraje, *short film*
consagrados, *renown*
dirigido, *directed*
eludiendo, *eluding, avoiding*
prolifera, *proliferates, multiplies*
eminentemente, *remarkably*
autodidacta, *autodidact, self-taught*
certámenes, *competitions*
exposición, *exhibit*
evidenciando, *making evident*
cineastas, *filmmakers*
surge, *springs up, arises*
estética, *aesthetic*
meramente, *merely*
interpretativo, *interpretive, for interpretation purposes*

1. la arquitectura, la danza, la escultura, la música, la pintura, la literatura / poesía, la cinematografía, la fotografía, las historietas. Aunque hay quienes consideran como un arte a la televisión, la moda, la publicidad y hasta los videojuegos.
2. Es parecido a una película, aunque lo máximo que puede durar es 30 minutos.

3. Se tratan todo tipo de temas. Al ser de menos coste que las películas, el autor tiene más flexibilidad que en un largometraje.
4. *El perro andaluz*; fue creado por Buñuel y Dalí cuando eran jóvenes
5. Gracias a ellas, más personas tienen la posibilidad de hacer cortometrajes
6. El uso de medios visuales electrónicos con un fin artístico
7. En el videoarte, el artista tiene menos restricciones que en el cine. No tiene por qué tener actores, diálogo o incluso guión.
8. Las formas y el simbolismo

19 Buscando errores 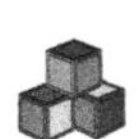

1. c (buenas); 2. b (pasarías); 3. a (Para); 4. b (empezando); 5. a (u); 6. a (cuyo); 7. c (fue); 8. d (ninguna); 9. c (que); 10. c (tanto)

20 ¡A conversar! 

Las respuestas pueden variar.

21 Amplíe su vocabulario 

1. a; 2. b; 3. b; 4. b; 5. a; 6. d; 7. b; 8. d; 9. b; 10. c

22 ¿Cuál es la palabra? 

1. folclóricas; 2. escribió el guión; 3. superaron; 4. Un boceto; 5. sin fronteras; 6. restituir; 7. acuarelas; 8. bailan

23 ¿Qué palabra es? 

1. muralista; 2. hacer un papel; 3. filmar; 4. bailarina; 5. entretener; 6. éxito taquillero; 7. retrasar; 8. subtítulos; 9. maestro; 10. culto; 11. aportar; 12. presupuesto

24 Crucigrama 

Las respuestas pueden variar.

25 Falsos cognados y palabras problemáticas 

1. a; 2. a; 3. a; 4. a; 5. b; 6. a; 7. b; 8. b

Festival de Arte Capítulo 8 Lección B

1 ¿Indicativo o subjuntivo? 

1. pensaba; 2. acabar; 3. tocando; 4. sabía; 5. quise; 6. tiene; 7. trajo; 8. gustó; 9. dijo; 10. escuchara; 11. protestaban; 12. ponía; 13. hubieran protestado/hubiesen protestado; 14. habría dado/hubiera dado; 15. di; 16. era; 17. ayudó; 18. cayó; 19. pude; 20. puse; 21. tenía; 22. pertenecido; 23. murió; 24. dejó; 25. quise; 26. conseguí; 27. fue; 28. rió; 29. hubiera dejado/hubiese dejado; 30. desmoralizara/desmoralizase; 31. habría llegado/hubiera llegado/hubiese llegado

2 Posición de los adjetivos 

1. un gran hombre; 2. El único ejemplar; 3. una persona pobre; 4. el mismo niño; 5. palabra fracesa;; 6. gran trofeo; 7. La casa antigua; 8. historia personal; 9. semejantes ideas; 10. en cierta forma

3 Pronombres relativos 

1. que; 2. quien; 3. lo que; 4. los cuales; 5. cuya; 6. sobre el que; 7. lo que; 8. cuyos; 9. por las cuales; 10. cuyo; 11. donde; 12. cuantas; 13. cuando; 14. la cual/la que; 15. donde

4 Preposiciones 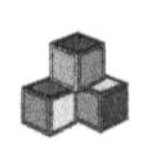

1. de; 2. en; 3. a; 4. con; 5. en; 6. Para; 7. de; 8. en; 9. a; 10. de; 11. en; 12. por; 13. a; 14. a; 15. Por; 16. en; 17. por; 18. a; 19. con; 20. sobre/acerca de; 21. en; 22. por; 23. en; 24. de; 25. de/entre; 26. con/y; 27. Entre; 28. desde; 29. hasta; 30. por; 31. para; 32. a; 33. sobre; 34. de; 35. Después; 36. de/por; 37. para; 38. de; 39. en; 40. de; 41. en

5 ¿Pero, sino o sino que? 

1. pero; 2. sino; 3. sino que; 4. sino que; 5. pero; 6. sino; 7. sino; 8. pero; 9. sino que; 10. pero

6 Familia de palabras 

1. piratería, pirateada/pirata, piratear/haber pirateado; 2. Sabio, sabiduría, supiera; 3. inversión, invertido, invierte

7 Telenovelas 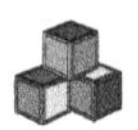

1. a; 2. b; 3. a; 4. d; 5. c; 6. c; 7. a; 8. c 9. b; 10. d; 11. a; 12. b; 13. a; 14. c; 15. a; 16. d; 17. c; 18. b; 19. b; 20. a; 21. a; 22. a; 23. c; 24. c; 25. d

8 Antes de leer 

Las respuestas pueden variar.

10 ¿Ha comprendido?

1. c; 2. d; 3. b; 4. b; 5. a; 6. c

11 ¿Dónde va? 

1. C; 2. frase extra; 3. D; 4. A; 5. E; 6. frase extra; 7. B; 8. F

12 ¿Qué significa?

Posibles respuestas:
1. debilitado, sin vigor; 2. pena que se impone a quien ha cometido una falta; 3. cruzó las fronteras; 4. que nunca han sido concebidas como ideas; 5. las personas con mucho dinero también tienen problemas y sienten tristeza; 6. estado de gestación; 7. entrecruzadas una cosa con otra; 8. que cuesta poco trabajo de comprender; 9. maleta o cartera; 10. instruirse para mejorar su vida

13 ¿Qué significa? 

1. d; 2. g; 3. j; 4. a; 5. i; 6. b; 7. c; 8. f; 9. h; 10. e

14 ¿Ha comprendido?

1., 2., 3. Las respuestas pueden variar.

15 Escriba

Las respuestas pueden variar.

16 Se titula...

Las respuestas pueden variar.

17 Denuncian indiscriminado saqueo de la ancestral ciudad maya El Naranjo (CD 2, pista 8)

La ancestral ciudad maya "El Naranjo", la segunda en importancia después de Tikal, es víctima de un indiscriminado saqueo de sus riquezas arqueológicas por parte de bandas del crimen organizado, denunciaron hoy fuentes oficiales. Salvador López, jefe del Departamento de Monumentos Prehispánicos y Coloniales del Ministerio guatemalteco de Cultura y Deportes, dijo hoy a periodistas que los saqueadores, que utilizan logística y armas de grueso calibre proporcionadas por el crimen organizado, "actúan en contubernio con los grupos de narcotraficantes".

"El Naranjo", la ciudad maya más grande después de Tikal, ubicada en el noreste del departamento de Petén, a unos 320 kilómetros al norte de la capital, y a sólo diez kilómetros de la frontera con Belice, "ha sido objeto de saqueos desde hace más de cien años", precisó López. El funcionario explicó que el Departamento que dirige, el cual tiene la responsabilidad de resguardar las riquezas de los 425 centros arqueológicos del país, apenas cuenta con un presupuesto anual de dos millones de quetzales (unos 263.000 dólares). "Tenemos 75 personas para dar seguridad a todos los parques arqueológicos, y por principio del Ministerio de Cultura y Deportes, los guardias no pueden utilizar armas, mientras que los saqueadores utilizan fusiles AK-47 y mucha logística", precisó López. En los últimos años, agregó, "se calcula que las piezas arqueológicas que han sido saqueadas de "El Naranjo", les han producido a las bandas de saqueadores ganancias de hasta 1.000 millones de quetzales (unos 13,6 millones de dólares)". Los saqueadores, aseguró, "hacen trabajos a la carta", ya que roban piezas específicas a petición de galerías y coleccionistas privados, principalmente de Estados Unidos y Europa. La ciudad de "El Naranjo" tuvo su principal apogeo en el período pre-clásico, el cual comprende del año 500 antes de Cristo, al 950 después de Cristo. Fue construida sobre las riberas de los ríos Holmul y Mopán, lo cual le permitió ser un importante centro del poder político y económico de la civilización maya. López lamentó que "el gobierno tolere el saqueo de los centros arqueológicos", al no dotar de mayores recursos a la institución encargada de velar por su resguardo.

saqueo, *plundering*
ancestral, *ancestral*
saqueadores, *plunderers, looters*
logística, *logistics*
armas de grueso calibre, *high caliber weapons*
resguardar, *defend, protect*
apenas, *scarcely*
presupuesto, *budget*
quetzales, *plural of "quetzal", the monetary unit of Guatemala*
trabajos a la carta, *customized jobs*
petición, *request*
apogeo, *height of power*
comprende del, *ranges from*
riveras, *river-beds*
lamentó, *lamented, regretted strongly*
encargada, *put in charge*
velar, *to watch over.*

1. Riqueza de tipo arqueológico, por ejemplo escultura, arquitectura, utensilios
2. Al período entre 500 A.C. y 950 D.C.
3. Con grupos de narcotraficantes y con galerías y coleccionistas privados
4. Probablemente la cooperación internacional será necesaria.
5. Logística: conjunto de métodos y medios necesarios para llevar a cabo la organización de una empresa o de un servicio

18 El antes y el después de una película o documental

Las respuestas pueden variar.

19 Un cuento corto 

Las respuestas pueden variar.

20 Una carta 

Las respuestas pueden variar.

21 ¡A conversar! 

Las respuestas pueden variar.

22 ¡A hablar! 

Las respuestas pueden variar.

23 Amplíe su vocabulario 

1. b; 2. b; 3. a; 4. d; 5. a; 6. d; 7. a; 8. d; 9. a; 10. b

24 ¿Cuál es la palabra? 

1. halló, promover; 2. a grito pelado; 3. deslumbrada; 4. apta para mayores de 18 años; 5. La puesta en marcha; 6. abarrotó; 7. sojuzgaron; 8. retrato; 9. me quedé ciego/a; 10. poder

25 ¿Qué palabra es? 

1. polémica; 2. audaz; 3. los pros y las contras; 4. variopinto; 5. hacer gala; 6. vivo; 7. vínculo; 8. curador; 9. conceder; 10. recorrer

26 Crucigrama

Las respuestas pueden variar.

27 Falsos cognados y palabras problemáticas

1. b; 2. a; 3. a; 4. b; 5. a; 6. a; 7. b; 8. b; 9. a; 10. b

Pautas para textos escritos informales

Reflexione sobre su trabajo, marque la casilla correspondiente y añade comentarios.

	Estoy muy satisfecho/a	Estoy algo satisfecho/a	Regular	Debo mejorarlo
1. ¿Usé el registro correcto?	❏	❏	❏	❏
2. ¿Cuántas tareas debía completar? ¿Las completé todas?	❏	❏	❏	❏
3. ¿Fue buena mi organización? ¿Organicé mis ideas de forma lógica: con una introducción, oraciones completas que expresan ideas bien conectadas en párrafos coherentes y una conclusión o despedida?	❏	❏	❏	❏
4. ¿Terminé de forma adecuada?	❏	❏	❏	❏
5. Si era un texto entre varias personas, ¿mostré buenas destrezas interpersonales?	❏	❏	❏	❏
6. ¿Integré apropiadamente estructuras simples y de uso común?	❏	❏	❏	❏
7. ¿Usé correctamente algunas estructuras más complejas?	❏	❏	❏	❏
8. ¿Usé expresiones idiomáticas frecuentemente y de manera apropiada?	❏	❏	❏	❏
9. ¿Varié los tiempos verbales? ¿Cuántos usé, más o menos?	❏	❏	❏	❏
10. ¿Usé el vocabulario y la sintaxis apropiadamente?	❏	❏	❏	❏
11. ¿Revisé la ortografía, incluyendo la acentuación y la puntuación?	❏	❏	❏	❏

Pautas para ensayos

Reflexione sobre su trabajo, marque la casilla correspondiente y añade comentarios.

	Estoy muy satisfecho/a	Estoy algo satisfecho/a	Regular	Debo mejorarlo
1. ¿Usé el registro correcto?	❑	❑	❑	❑
2. ¿Escribí un buen párrafo introductorio?	❑	❑	❑	❑
3. ¿Desarrollé mis ideas de una forma coherente?	❑	❑	❑	❑
4. ¿Usé los nexoslas palabras que unen ideas–correctamente?	❑	❑	❑	❑
5. ¿Cité todas las fuentes correctamente?	❑	❑	❑	❑
6. ¿Interpreté todas las fuentes correctamente: analicé la información, hice predicciones, evalué datos u opiniones y saqué conclusiones?	❑	❑	❑	❑
7. ¿Integré apropiadamente estructuras simples y de uso común?	❑	❑	❑	❑
8. ¿Usé correctamente algunas estructuras más complejas?	❑	❑	❑	❑
9. ¿Varié los tiempos verbales?	❑	❑	❑	❑
10. ¿Usé el vocabulario y la sintaxis apropiadamente?	❑	❑	❑	❑
11. ¿Reconocí elementos culturales?	❑	❑	❑	❑
12. ¿Terminé con una buena conclusión?	❑	❑	❑	❑
13. ¿Revisé la ortografía, incluyendo la acentuación y la puntuación?	❑	❑	❑	❑

Pautas para presentaciones formales

Reflexione sobre su trabajo, marque la casilla correspondiente y añade comentarios.

	Estoy muy satisfecho/a	Estoy algo satisfecho/a	Regular	Debo mejorarlo
1. ¿Logré usar el registro correcto?	❑	❑	❑	❑
2. ¿Tuvo mi presentación inicial un impacto positivo?	❑	❑	❑	❑
3. ¿Presenté la información de una manera adecuada para narrar, informar, describir, mostrar acuerdo, persuadir o refutar?	❑	❑	❑	❑
4. ¿Desarrollé mis ideas de una forma coherente?	❑	❑	❑	❑
5. ¿De cuántas fuentes me he provisto? ¿Cuántas incluí?	❑	❑	❑	❑
6. ¿Interpreté las fuentes de una manera apropiada: analicé la información, hice predicciones, evalué datos u opiniones y saqué conclusiones?	❑	❑	❑	❑
7. ¿Integré apropiadamente las estructuras simples y de uso común?	❑	❑	❑	❑
8. ¿Usé correctamente algunas estructuras más complejas?	❑	❑	❑	❑
9. ¿Varié los tiempos verbales?	❑	❑	❑	❑
10. ¿Utilicé el vocabulario y la sintaxis apropiadamente?	❑	❑	❑	❑
11. ¿Hice una buena conclusión?	❑	❑	❑	❑
12. ¿Se desarrolló la presentación dentro del tiempo permitido?	❑	❑	❑	❑
13. ¿Me comprendieron mis compañeros?	❑	❑	❑	❑

Pautas para presentaciones informales

Reflexione sobre su trabajo, marque la casilla correspondiente y añade comentarios.

	Estoy muy satisfecho/a	Estoy algo satisfecho/a	Regular	Debo mejorarlo
1. ¿Usé el registro correcto?	❑	❑	❑	❑
2. ¿Usé una buena entonación, evitando un solo tono?	❑	❑	❑	❑
3. ¿Pronuncié las palabras bien, sobre todo las con las letras *s, d, t, v, b* y *p*?	❑	❑	❑	❑
4. ¿Evité las pausas demasiado largas? ¿Uní las palabras apropiadamente para evitar sonar como un "robot"?	❑	❑	❑	❑
5. ¿Le dediqué el tiempo adecuado a cada parte de la presentación?	❑	❑	❑	❑
6. ¿Integré apropiadamente las estructuras simples y de uso común?	❑	❑	❑	❑
7. ¿Usé correctamente algunas estructuras más complejas?	❑	❑	❑	❑
8. ¿Elegí bien el vocabulario?	❑	❑	❑	❑
9. ¿Usé la sintaxis adecuadamente?	❑	❑	❑	❑
10. ¿Usé algunas expresiones nuevas de la lección?	❑	❑	❑	❑
11. ¿Incluí alguna referencia cultural?	❑	❑	❑	❑
12. ¿Mostré de forma adecuada lo que es una conversación entre dos personas–por ejemplo, al hacer las preguntas lógicas y usar expresiones que demuestran que sigo la conversación?	❑	❑	❑	❑
13. ¿Me comprendieron mis compañeros?	❑	❑	❑	❑

Verbos con preposición

Verbos acompañados de *a* + infinitivo o sustantivo

acercarse a	to approach, to go near
acostumbrarse a	to get used to, to become accustomed to
aprender a	to learn to
atreverse a	to dare to
decidirse a	to decide to
dedicarse a	to devote onerself to
faltar a	to be absent from
inspirar a	to inspire to
ir a	to go to
llegar a	to arrive at
negarse a	to refuse to
ofrecerse a	to volunteer to
oler a	to smell like
parecerse a	to look like
ponerse a	to begin, to start to
regresar a	to return to
renunciar a	to give up
resistirse a	to resist, to oppose
saber a	to taste like
salir a	to go to
sentarse a	to sit down to
someterse a	to submit to
subir a	to climb
venir a	to come to
volver a	to do something again

Verbos acompañados de *con* + infinitivo o sustantivo

amenazar con	to threaten to, with
bastar con	to be enough
conformarse con	to be satisfied with, to put up with
contar con	to count on
contentarse con	to make do with
cumplir con	to come through with, to carry out
encontrarse con	to run into, to meet
entretenerse con	to amuse oneself with
gozar con	to enjoy

meterse con	to pick on
quedarse con	to keep, to hold on to
romper con	to break up with
soñar con	to dream about, of

Verbos acompañados de *de* + infinitivo o sustantivo

acabar de	to have just
acordarse de	to remember to
alegrarse de	to be happy about
alejarse de	to go away from
arrepentirse de	to repent, to be sorry for
asombrarse de	to be amazed
avergonzarse de	to be ashamed of
cansarse de	to be tired of
dejar de	to stop, to fail to
encargarse de	to be in charge of
enterarse de	to find out
ocuparse de	to be busy with, to attend to, to pay attention to
olvidarse de	to forget to, to forget about
parar de	to stop
quejarse de	to complain about
sorprenderse de	to be surprised to
terminar de	to finish
tratar de	to try to
tratarse de	to be a matter of

Verbos acompañados de *de* + sustantivo o pronombre

abusar de	to abuse
acordarse de	to remember
alejarse de	to go away from
aprovecharse de	to take advantage of
asombrarse de	to be astonished at
asustarse de	to be afraid of
avergonzarse de	to be ashamed of
burlarse de	to make fun of
cambiar de	to change
cansarse de	to become tired of
constar de	to consist of

enamorarse de	to fall in love with
huir de	to run away from
irse de	to leave
marcharse de	to leave

Verbos acompañados de *para* + infinitivo

quedarse para	to remain to
trabajar para	to work for

Verbos acompañados de *en* + infinitivo

confiar en	to trust
insistir en	to insist on
quedar en	to agree to, to agree on
tardar en	to be late in, to delay in

Verbos acompañados de *por* + infinitivo, sustantivo o pronombre

empezar por	to begin by
preguntar por	to ask for
terminar por	to end up by

Verbos acompañados de *en* + sustantivo o pronombre

confiar en	to rely on, to trust in
entrar en	to enter, to go into
pararse en	to stop at
pensar en	to think of

Verbos que no necesitan preposición ante el infinitivo

deber	ought, should
decidir	to decide to
hacer	to make, to do
necesitar	to need to
pedir	to ask to
pensar	to plan, to think, to intend to
poder	to be able to
querer	to want to
saber	to know how to